JN089116

ゼロからイチを
生み出しつづける

GAFAM のエンジニア思考

アレックス・カントロウィッツ＝著
小川彩子＝訳

かんき出版

努力しつづけるすべての人へ

はじめに――ザッカーバーグとの出会い

２０１７年2月、カリフォルニア州メンローパークのフェイスブック本社で、マーク・ザッカーバーグにはじめて会った。

そのころ、フェイスブックはいつもながら論争のまっただ中にあった。同社は製品のシェアの拡大には熱心だが、投稿された情報の管理には消極的なため、同社のサービスは誤った情報や炎上、暴力的な画像だらけになっていたのだ。

ザッカーバーグがその話題を持ち出すだろうと考えながら、私はインタビューにおもむいた。だが、このＣＥＯと話すはじめての機会は予想どおりには進まなかった。

広大で開けたコンクリート造りのフェイスブック本社は、どうやって入ればいいのか困ってしまうような場所だった。ロビーが9カ所もあって、入館には二重のセキュリティを抜けなければならず、最初に守衛から秘密保持契約書にサインするよう求められる。

中に入ると、四方がガラス張りの会議室に通された。ザッカーバーグが会議を開く部屋だ。ＣＯＯのシェリル・サンドバーグと話していたザッカーバーグは、彼女との話を終えると私と編集者のマット・ホーナンを迎え入れ、周囲から丸見えの場所でインタビューをすることになった。

ザッカーバーグは「マニフェスト」の作成を終えたところだった。[1]「マニフェスト」とは、問題のあるコンテンツへの同社の対応と、ユーザーのライフスタイルにおける同社の役割全般を説明した５７００語の文書だ。

私は、よくあるＣＥＯブリーフィングを予想していた。ザッカーバーグの話を拝聴したのち、短い質問タイムという流れだ。ところが「マニフェスト」について簡単に説明しただけで、ザッカーバーグは私にフィードバックを求めた。

「何か、文章では伝わっていないと思うところはあるかな？　何が抜けてる？」

ザッカーバーグは身を乗り出して、よそ見もせず、熱心に私の意見を聞いた。フィードバックを求めたのが単なる社交辞令でなかったのは、明らかだった。

「マニフェスト」で自社の影響力にもっと触れるべきだという私の提案に、ザッカーバーグはまず穏やかに異を唱え、それから礼を言った。そんなことをするCEOに会ったのは、はじめてだった。しかも、彼は我が道を行くことで有名な人物である。

これまで会ったCEOたちとの違いを感じて、調べてみるだけの価値があると考えた。そこでこのインタビュー以来、ザッカーバーグを知る人に会うたびに、ザッカーバーグはなぜフィードバックを好むのかと聞いてみた。

「あなたもフィードバックを求められましたか？　彼はいつもそうなんですか？」

そしてわかったのは、フィードバックこそ、ザッカーバーグがフェイスブックを運営する方法そのものだということだ。ザッカーバーグは、フィードバックをフェイスブックの企業文化に組み込んできた。会議の締めくくりには、ほぼ必ずフィードバックを求める。オフィスに貼られたポスターには「フィードバックは贈り物」と書かれている。

この会社にはフィードバックに勝る存在はない。フィードバックはザッカーバーグその人よりも優先される。

シリコンバレーのテクノロジー記者として、私はGAFAMと呼ばれるテックジャイアントたちの快進撃を最前列から目撃してきた。GAFAM、すなわちグーグル、アマゾン、フェイスブック、アップル、マイクロソフトは、典型的な企業のライフサイクル、つまり成長、停滞、つまずき、硬直化という流れに乗ることなく、年々ひたすら力を増しつづけている。そしておそらくアップルを除けば（第4章を参照）、その力が弱まる兆候はかけらもない。

テックジャイアントの企業運営は、ほかの企業とは驚くほど異なっている。

長年さまざまな企業の経営陣へのインタビューを重ねて、世界のトップCEOたちは生まれつきの売り手であり、自らの強い個性を利用して、自分のビジョンのもとに社員たちを集わせるような人だと、私はつねづね考えてきた。

ところがザッカーバーグや彼のライバルである、アマゾンのジェフ・ベゾス、グーグルのサンダー・ピチャイ、マイクロソフトのサティア・ナデラを見ると、みんな**命令するよりもむしろ、手助けするほうに熱心な熟練のエンジニア**なのだ。自分で答えを出すのではなく、質問する。売り込むのではなく、聞いて学ぶ。

メンローパークでの出会いから、私はリーダーたちのやり方、企業文化、技術、プロセスなど、テックジャイアントの内部の仕組みについて掘り下げ、その**成功と独特な企業の運営方法に関連があるのかを探った。**そうして共通するパターンが見えてきて、テックジャイアントの仕組みとその成功との関連は否定できないものになった。

テックジャイアントがほかの企業と違うのが正確にどこなのか、どうしてその仕組みがうまくいくのかを、私は夢中で探した。探究は2年間におよび、130回以上のインタビューを重ねた。その成果をまとめたのが本書である。

本書に書かれているのは、**テックジャイアントがトップに上りつめ、その地位を確保しつづけるための「成功法則」**だ。

本書では、テックジャイアントの企業文化とリーダーシップを論じている。同時に、より広くアイデアと変革、そしてその両者をつなぐ道筋について語った本でもある。

また、現在の強みがなんの保証にもならず、常に挑戦が必要な時代、企業が瞬く間に次から次へと新製品を打ち出せる時代の、新しいビジネスモデルを明らかにした本でもある。

テックジャイアントが独自につくり上げてきた、これまでとは**異なる企業運営を可能にする社内テクノロジー**。その数々を利用し、テックジャイアントはこの新たな成功法則を早くから実践してきた。

その秘密をあらゆる人の前に明かす日が来たのだ。

本書で取り上げたテックジャイアントも完全ではない。むしろ完全にはほど遠い。テックジャイアントはどこまでも成長を追求するなかで、従業員を酷使し、技術の明らかな悪用を見逃し、内部からの真摯な抗議を抑圧してきた。

こうしたいきすぎた行為が原因となって、米国政府は法規制を検討し、政治家からは分割を求める声があがっている。これらの非難もあながち的外れとは言えない。

誤解のないように言っておくが、本書は成長やグロースハックについての本でもなければ、小さな会社ではダメだと述べようとしているわけでもない。

本書は、独創的な文化をつくり上げることを論じた本であり、その意味で本書から得るものがないという人はいないだろう。**テックジャイアントに打ち勝ちたいと思っている人なら、その社内の仕組みを理解することで優位な戦略をとれる**だろう。

テックジャイアントが持つ知識が彼らの手だけに握られているかぎり、広くビジネス一般、そしてビジネスを取り締まる政府機関にとっても不利なままだ。

しかし立場を平等にするチャンスは、すでに私たちの手の中にあるのだ。

GAFAM
のエンジニア思考

Contents

Introduction

いつも創業初日

Always Day One

第1章

ジェフ・ベゾスの変革の文化を探る

Amazon

第2章

マーク・ザッカーバーグのフィードバックの文化を探る

Facebook

第3章 サンダー・ピチャイのコラボレーションの文化を探る

Google

第4章

ティム・クックとアップルへの懸念

Apple

第5章

サティア・ナデラとマイクロソフトの再生

Microsoft

終章　未来のリーダー像

本文デザイン・DTP　松好那名（matt's work）

Leaders

Introduction
いつも創業初日
Always Day One

2017年3月のアマゾンの全社員集会[1]の場で、細身で自信にあふれたジェフ・ベゾスは何千人もの社員たちの前に立ち、どこか気に入らないといった表情で提出された質問を読み上げた。そして、「これは非常に重要な質問だと思う」と言った。

それは、「創業2日目はどんなものでしょうか？」という質問だった。

アマゾンの創業初日の精神

アマゾンが生まれてから25年間、ベゾスは社員たちに対して、毎日がアマゾンの創業初日であるかのごとく働くようにうながしてきた。そして、企業価値がもうすぐ1兆ドルに達し、年に約10万人ずつ従業員が増えている現在、希望にあふれている様子のある社員がベゾスに「創業2日目」を想像できるかと尋ねたわけだ。

「創業2日目はどのようなものだろう？」とベゾスは自問した。「**2日目はまず停滞だ。それから実態とのずれ、続いて耐えがたくつらい衰退がきて、死にいたる**」

笑い声があがった。その場に集まった何千人ものアマゾン社員たちには、社内でタブーになっている話題に、あえて触れた無名の同僚に対するベゾスの完璧な反論は大うけだった。

社員の拍手がやむのを待ち、ベゾスはほほえみながら次のように語って締めくくった。

「だからこそ、いつも創業初日なんだ」

「創業初日」はアマゾンのあらゆるところに登場する。

本社ビルの名前でもあり、企業ブログのタイトルでもあり、ベゾスから株主に向けた年次報告書で繰り返されているテーマでもある。猛烈主義で悪名高いアマゾンだからこそ、この言葉を「休みなく働け」という命令だと解釈したくなるが、その意味はもっとずっと深い。

アマゾンの「創業初日」とは、それまでの実績にとらわれることなく、**スタートアップ企業のように創意工夫するという意味**だ。特に、人工知能とクラウド・コンピューティングの発展によって、競争相手が記録的な速さで新製品をつくりだせるようになった今日、**現在を犠牲にしてでも未来に向けて構築していくほうをとろうという信念**でもある。

かつてGMやエクソンなどの大企業が私たちの経済を支配していた経営戦略、すなわち主要なビジネスを発展させてそれだけに注力し、なんとしても既得権益を守るというやり方からの訣別だ。

既存のビジネスを大きくすることはもはや選択肢にならない。1920年代、フォーチュン500に名を連ねる企業の平均余命は67年だったが、2015年には15年になった。[2]

創業2日目はどのようなものか？

それは、ほとんど死そのものだ。

オンライン書店としての創業時から、アマゾンはこの「創業初日」を合い言葉にして、思うがままに新たなビジネスを創出してきた。それが既存の収益源に影響を与える恐れがあっても、ほとんど気にもとめずにだ。

アマゾンは現在も書店だが、同時に思いつく限りありとあらゆる製品の販売サイトでもある。またサードパーティーがひしめくマーケットでもあり、世界規模の通販サイトであり、アカデミー賞を獲得した映画スタジオであり、雑貨商であり、クラウドサービスのプロバイダーであり、音声コンピューティングOSであり、ハードウェアメーカーであり、ロボティクス企業でもある。

新たな発明が成功するたびに、アマゾンは「創業初日」に立ち戻って次を考え出す。

「私はアマゾン株を大量に持っている」と、実業家のマーク・キューバンは2019年7月のインタビューで話した。「アマゾンが今日したこと次第で、アマゾン株は文字通り何億ドルもの価値になるかもしれないんだ。アマゾンを世界最高のスタートアップだと考えているからこそ、その株を持っている」

現在テックジャイアントと呼ばれている企業を見ると、どこもアマゾンと似たような経緯

をたどっていることに気づく。

グーグルは検索サイトとして出発したが、以来ブラウザ拡張のステイ・チューンド、ブラウザのクローム、音声のグーグルアシスタントを開発し、さらに主要なモバイルOSのアンドロイドを生み出してきた。

グーグルの新製品は、いずれも自社の既存製品と利害が対立するものだったが、繰り返し「創業初日」に立ち戻ることで、グーグルはトップに立ちつづけている。

フェイスブックも何度も「創業初日」と利害が立ち戻ってきた。オンラインディレクトリとして始まった同社は、ニュースフィードとして再生し、現在では広範な共有から私的な共有へとサービスの性格を変えることで、三度生まれ変わろうとしている。

フェイスブックアプリの重点をニュースフィードから「グループ」という小規模ネットワークに移し、メッセージングを重要な要素として扱うようになったのだ。

あらゆる産業のなかでもっとも移り気なソーシャルメディア業界で、フェイスブックはいまだに先頭を走っている。

一方でマイクロソフトは、最近まで変革にあふれた日々が終わったかのような様子だった。同社はウィンドウズにこだわるあまり、ほとんど未来を考えることがなくなっていたのだ。しかし、CEOがスティーブ・バルマーからサティア・ナデラに替わり、マイクロソフトは「創業初日」に戻ってクラウド・コンピューティングを活用するようになった。クラウド・コンピューティングは、ウィンドウズをはじめとするデスクトップOSを脅かす存在でありながら、それによって同社は再び時価総額世界一の企業に返り咲いた。

アップルはスティーブ・ジョブズのもとで、マックやアイポッドといった同社のデスクトップパソコンや音楽プレイヤーを時代遅れにしてしまうデバイス、アイフォーンを開発し、それが同社の長年の成功のもととなった。

しかし現在、アップルはマイクロソフトでいうならウィンドウズ期にある。同社が音声コンピューティングの時代を勝ちぬくには、アイフォーン正統主義を捨て、自らを再発明する必要がある。

シアトルのサウス・レイク・ユニオンにある、アマゾン本社敷地内のもっとも新しい建物の名称は「再発明」だ。地球上でもっとも成功している企業のひとつとは思えない名前だ。

しかし「創業2日目は死」である今日のビジネス界では、再発明こそが生き残るためのカギなのである。

アイデア・ワークと実務ワークの違い

革新的な企業運営とは、単にしゃれたスピーチと社内への力強いメッセージだけではない。むしろビジネスのやり方を常にとらえ直し、働き方を改革することでようやく可能になるものだ。

仕事には2種類ある。「アイデア・ワーク」と「実務ワーク」だ。

アイデア・ワーク

何か新しいものの創造につながるあらゆる仕事をいう。新製品を考え出すことや、それをつくるための方法を考案すること、そしてそれを発表して製作することだ。

実務ワーク

アイデア・ワークでできあがったもののサポートにつながるあらゆる仕事をいう。製品の発注やデータの入力、帳簿の管理、施設管理などである。

工業経済の時代には、ほとんどすべての仕事は実務ワークだった。企業の創設者がアイデア（「こんな製品をつくろう」）をひとつ思いついたら、実務（工場で勤務して、その製品を製造する）のためだけに従業員を雇った。

しかし1930年代末に、時代は工場に支配される経済から、アイデアに支配される経済へと移行しはじめた。それが「知識経済」である。

今日の知識経済では、アイデアこそが重要なのに、いまだにほとんどの時間は実務ワークに費やされている。新しい製品やサービスを開発したら、次は何か別のものを考え出す仕事にかかるのではなく、開発したもののサポートに時間を使うのだ。

たとえば衣類を販売しているなら、あるデザインをサポートするためには、値付け、材料調達、在庫管理、販売、マーケティング、出荷、返品など大量の実務ワークが必要になる。さらにこれらのプロセスは、人事や契約、会計分野の基本的な仕事を含むサポートワークに支えられている。

実務ワークの負担が大きいせいで、ひとつの中核ビジネス以外に別のビジネスを開発して多角運営できる企業はほとんどない（クレイトン・クリステンセンはこれを「イノベーションのジレンマ」と呼んでいる）。

多角化に挑戦した企業はほぼすべて撤退するか、一度に複数のビジネスを維持することは不可能だと思い知らされてきた。

「GMはこれまで自動車以外に多くの製品をつくった」とオハイオ州立大学の経済学教授ネッド・ヒルは言った。たとえば、冷蔵庫や機関車などだ。「しかし、多くの製品によってタコ足状になった企業形態を制御しきれなかった」

実務ワークの海におぼれて、今日の企業は変革ではなく改良にのみ注力している。企業のリーダーたちは創意工夫にあふれた文化を醸成したいと望んでいるのかもしれないが、彼らにはその余裕がない。だからいまだに、リーダーたちが限られた数のアイデアをトップダウンで伝え、それ以外の全員が実務と改良に従事している。

しかし改良の文化ではなく、変革の文化による企業運営が、最近になって突如として可能になった。**人工知能（AI）やクラウド・コンピューティング、コラボレーション技術の進展によって、既存のビジネスのサポートに必要な実務ワークが大幅に削減された。**そして企業が新しく創造的なアイデアを実現し、維持管理できるようになったのだ。

これらのツールは、作業環境ソフトウェアの大発展が企業の効率化を進めたことに続く進化であり、AIがその動きを加速している。

専門家によれば、**AIは人間を解放して、もっと「創造的」または「人間的」な仕事ができるようにする**という。つまりAIは、人間をもっと創意工夫にあふれた仕事ができるようにしてくれるのだ。私が考えるところでは、これこそがテックジャイアントの成功の背景にある、もっとも重要な要素である。

GAFAMに代表されるテックジャイアントは、新しい変革経済を実現する技術を発展させて、実務ワークを最小限にする方法を編み出してきた。これによって新たなアイデアのための余地ができ、それらのアイデアを実現できるわけだ。

テックジャイアントの文化は、改良ではなく変革をサポートする。

テックジャイアントは、アイデアが企業内

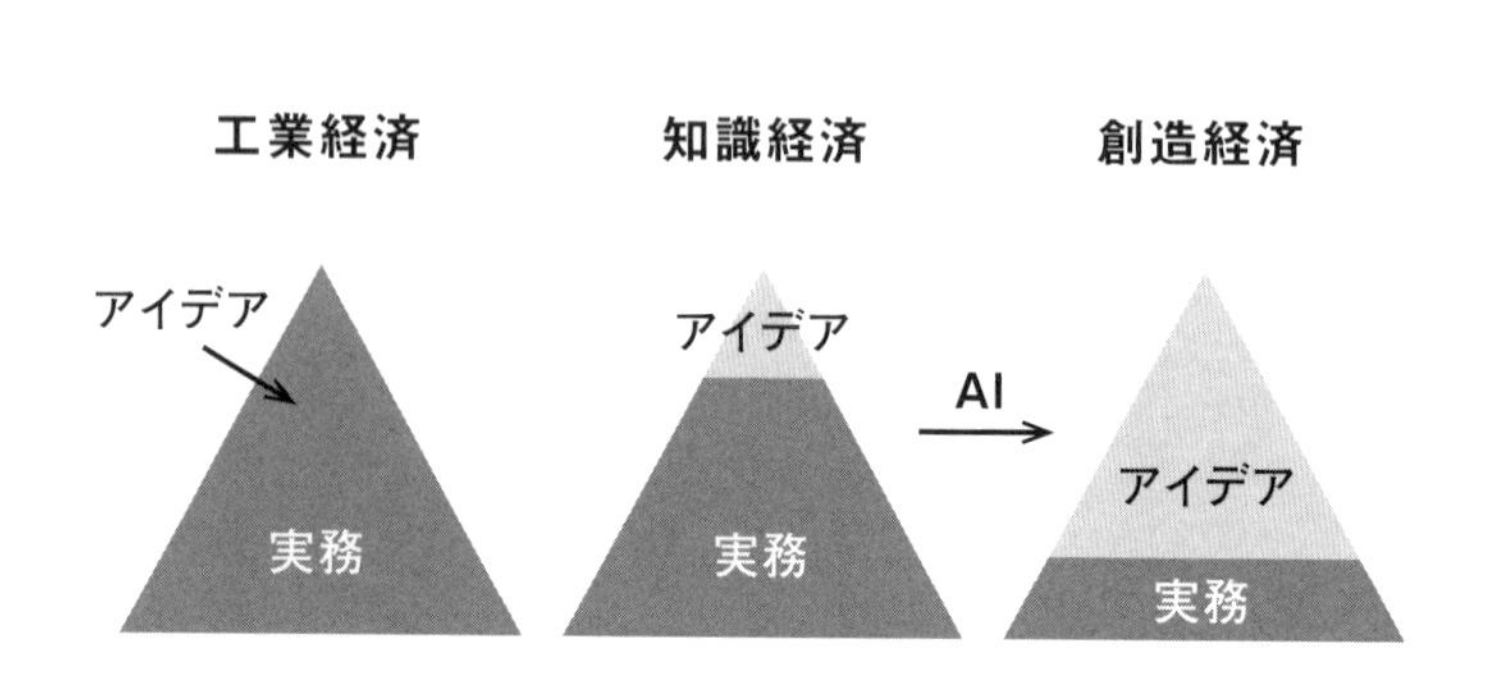

で伝わる障害となる障壁を取り去って、最良のアイデアを生かすのだ。言うは易く行うは難しだが、これがテックジャイアントを突き動かす原理なのである。

私はテックジャイアントがこの強みを今後も長年独占するだろうと考えていたが、そんなときに運よく、マイアミでのカンファレンスに行くことになった。

マイアミで見た実務ワークの自動化

人気歌手のシーロー・グリーンはおそらく、企業パーティーで演奏する人生など考えたこともなかっただろう。だが、がっしりして声の高いこのシンガーは、2018年10月にその役割を見事にこなしていた。

マイアミビーチのLIVナイトクラブで、カンファレンスに参加した1100人もの業界人がおしゃべりしたり、スマートフォンを確認したり、ネットワークに接続したりしている前に立ってだ。

ローストビーフやハラペーニョ、マカロニチーズ、ワタリガニのリゾットなどをパクついたり、バーカウンターではしゃいだりしている参加者たちを前に、グリーンはおふざけを始めた。自身のヒットソング「ファック・ユー」をひねって、観衆の成功をほめあげたのだ。

白いジャンプスーツとサングラスという姿でステージを動き回りながら、「人生うまくいってると思ってんだろ?」とグリーンは言った。「ファック・ユー」のイントロが会場に鳴り響くと聴衆はどよめき、にんまり笑ったグリーンはそのエネルギーにのって叫んだ。「『ファック・ユー』と言いたいことがあるんなら、いましかないぜ!」

観衆から「ファック・ユー」の絶叫が返った。

グリーンのLIVでのパフォーマンスは、それがユーアイパス主催のカンファレンスのオープニングだったという事実がなければ、別に変わったものではなかっただろう。ユーアイパスはほとんど無名の企業だが、同社の主力商品は仕事中にコンピューターの画面を監視して、ラベリングにもとづいて作業の自動化を行う最先端のソフトウェアだ。**ユーアイパスや競合企業は、数年のうちに何百万もの職種で自動化を実現しようとしている。**観衆のファック・ユーの声が大きかったのはそのせいだろう。

このパフォーマンスの数カ月前、私はユーアイパスが企業の仕事の性質を刷新する可能性を秘めているといううわさを耳にした。それも、広くビジネス界をテックジャイアントでの働き方に近づけるものだという。

しばらくして、ある投資家が同社に2億2500万ドルもの投資をした[3]と聞き、事の次第を確かめるためにサウスビーチに取材に出かけたのだ。

ユーアイパスは、コンピューターで行うルーティンワークを簡単に自動化できる技術を開発している。同社のソフトウェアは使用者のマウスの動きやクリックを監視して、前もって設定したガイダンスに従ってその仕事のやり方を導き出す。

ユーアイパスの「ロボット」（物理的な実体はない）がこなせる実務ワークは、ほとんどすべてにおよぶ。**データ入力から、レポート作成、書式への入力、定型文書の構成、そして作成した文書を指定した受信者へ電子メールで送信するところまで、自動化できる**のだ。

人事分野だけでも、定型の新規雇用通知を書いたり、新規雇用者をさまざまな社会保障システムに登録したり、雇用期間が終わったときに雇用終了通知を書いたりできる。

この種の実務ワークには、何百万もの人々の勤務時間のかなりの部分があてられている。マイアミにも、ウォルマートやトヨタ、ウェルズ・ファーゴ、ユナイテッド・ヘルスケア、メルクなどの世界有数の大企業が、実務ワークの自動化の方法について情報交換するために訪れていた。

日本の三井住友銀行は、すでにユーアイパスのロボットを1000台導入し、1年以内にさらに1000台を追加する計画だと述べていた。ウォルマートの知的自動化部門長のアヌープ・プラサナは、ユーアイパスの業務自動化能力を称賛し、このテクノロジーの展開を自社で十分に進められていないことだけが残念だと語った。

保険会社のステート・オートで自動化に取り組んでいるホリー・ユールは、同社はユーアイパスのおかげで、これまで人間の仕事だった業務を7カ月間で3万5000時間分も節約でき、さらに多くの時間を削減できる見込みだと言った。

「自動化できる業務はどんどん増えています」

このカンファレンスでの最大のニュースは、**ユーアイパスのプロセス自動化技術が機械学習をこれまで以上に活用できるようになったこと**だった。機械学習とはAIの一種で、経験からの学習によって未来に向けたさまざまな予測や判断を行う技術である。機械学習をより全般的に自動化技術に取り入れることで、いくつもの驚くべき成果につなげられる。

グーグルの機械学習・AIパートナーシップ部門長のナレシュ・ベンカットは、グーグルの機械学習をユーアイパスの自動化技術と組み合わせたデモのなかで、その可能性を見せてくれた。人間の介入なしに保険金請求案件を処理してみせたのだ。

ベンカットのデモ映像では、保険請求者が被害を受けた自動車の画像を保険会社のウェブサイトにアップロードすると、まずグーグルの機械学習システムがその画像を読み込んで、修理代がいくらかかるかを決定した。

続いてユーアイパスのソフトウェアがセールスフォースの顧客ファイルを開いて、補償金額を記したレポートを発行し、マイクロソフト・ワードで基本評価文書を作成して、その評価を顧客と保険会社の窓口にメールした。

「これまで**人間が時間をかけてきた業務のかなりの部分は自動化できてしまいます**」とベンカットは、少しだけ残念そうな口ぶりで言った。「保険金請求の処理などこれまで20日かかった業務が、２日ですむようになっています。何かを処理するのに約２０００ドルかかっていたのが、いまや３００ドルしかかかりません」

ユーアイパスは、この種の業務自動化に対する需要の増大に応える「ロボティック・プロセス・オートメーション」分野の企業だ。同社の主な競合企業の1つであるオートメーション・エニーウェアは、このマイアミでのカンファレンスから2カ月も経たないうちに、ソフトバンクから3億ドルの出資を受けた[4]。

一方、ＡＩによる意思決定機能を開発している企業もグーグルだけではない。マイクロソフトやＩＢＭ、データロボット、エレメントＡＩをはじめとして、多くの企業が似たような機能を提供している。

自動化技術を一般に広めようとする取り組みが広がり、そこに資金が投下されていること、さらにこのような技術に対する需要が明らかに存在することを考えれば、**自動化技術はすぐに世界中の職場に広まって、実務ワークを一手に引き受けるようになる**だろう。

「機械学習によって、意思決定のコストは下がりつつあります。今後はほぼゼロにまでなるでしょう」と話すのは、自動化を専門とするフォレスターのアナリスト、クレイグ・ルクレールだ。「職場は非常に違ったものになりますよ」

この「違った」職場がどのような姿になるのか、マイアミに集ったウォルマートやウェルズ・ファーゴの人々には、まだ十分に予測できていないようだった。

彼らは職場に自動化や人工知能を導入することには熱心だったが、取り組みを始めたばかりで、いまの私たちと同じ状況にいた。ＡＩの波が来ていることには気づいていても、それが自分たちの仕事や会社、経済をどう変えるかは正確にはわかっていなかったわけだ。

一方で、この「未来の職場」がすでに現実となっている企業も存在する。だから、そのような企業が実務ワークの自動化に適応していった過程を知れば、**私たち自身が向かっているであろう未来を理解する**助けになるだろう。

これからの時代に必要なエンジニア思考

マイアミで見たＡＩ技術は、実はテックジャイアントの内部ではすでに一般的なもので、何年も前から使われてきた。世界最先端のＡＩ研究部門を持つこれらの企業では、製品開発だけでなく職場環境にも機械学習を導入している。

ＡＩ技術やその他の先端的なツールによって、従業員の実務ワークは大幅に減り、新しいアイデアを考え出すための時間が増えている。これらの新しいアイデアを実現するために、テックジャイアントは自社の運営方法を考え直してきた。

その一方で今日の企業のほとんどは、実務ワークが大量にあるせいで、いまだにリーダーが少数のアイデアをトップダウンで出し、大多数の従業員はその販売に集中するというかたちのままだ。

今日でも、ＣＥＯに対する最高のほめ言葉は「ビジョンを持っている」というものだ。企業の成功は常に、ビジョナリーのひねり出すアイデアにかかっている。

しかし、**テックジャイアントのベゾスやザッカーバーグ、ピチャイ、ナデラは、ビジョナリーではない。彼らはビジョンの仲介者、あるいは調停役だ。**

アマゾンやフェイスブック、グーグル、マイクロソフトの頂点で、彼らは自分のアイデアではなく、従業員たちのアイデアを実現するために働いている。そして、そのための仕組みを構築してきた。

これらのCEOたちはみなエンジニア出身で、世界中の主要な企業によくある販売部門や経営部門の出身ではない。彼らの企業運営体制は、そういう背景から導き出されたものだ。これらの企業の変革にあふれた文化の中核には、「エンジニア思考」とでも呼ぶべきものがある。

エンジニア思考とは、技術重視の態度という意味ではなく、構築や創造、変革の文化を支える考え方のことだ。エンジニア思考は、エンジニアが仕事に取り組むやり方にもとづいているが、技術関連の職種や職位にとどまらず、企業内で広く適用できる。

エンジニア思考には主に次の3つの特長がある。

民主的な創意工夫

エンジニアはいつでも創意工夫にあふれている。エンジニアの仕事はつくることで、売ることではない。エンジニア思考では、アイデアはどこから生まれてきてもかまわない。必要なのは、生まれたアイデアが決定権を持つ人にまで届く道筋を用意して、ゴーサインが出たら、そのアイデアを成功させるための仕組みをつくりだすことだ。

第1章では、民主的な創意工夫をうながしてアマゾンが「創業初日」でありつづけるように設計された社内システムを通して、ジェフ・ベゾスが従業員たちの変革の力をどのように導いているのかを見ていこう。

制約のないヒエラルキー

エンジニアの組織は本質的にフラットだ。

ヒエラルキーは存在するにしても、メンバーは誰でも最高ランクまで上りつめるチャンスがあるし、自分の考えていることを率直に口に出せる。ボトムアップでアイデアを出すと、ヒエラルキーを軽視したと思われがちな従来の組織の状況とは、大きく異なる。

第2章では、フェイスブックの内幕に踏み込んで、ザッカーバーグがフィードバックの文化を通してアイデアをヒエラルキーの制約から解放するために、どのような方法をとっているのかを探っていく。フェイスブックでは、従業員がザッカーバーグに直接アイデアを提出し、彼がそれを検討したうえで実現につなげている。

また、２０１６年の大統領選挙前に同社のフィードバックのシステムがうまく働かなかった過程を検証していく。当時、フェイスブックは油断に付け込まれて選挙操作攻撃を受けたが、このような攻撃は事前に予期しておくべきものだった。ザッカーバーグがフィードバックシステムの欠陥に対処するために導入した、新しい「入力」についても見ていこう。

コラボレーション

エンジニアは、大規模なプロジェクトの一員として働くことが多い。そうしたプロジェクトでは、小さな問題が起こっただけでもプロジェクト全体が失敗してしまいかねない。

こういう仕事を経験することで、エンジニアはコラボレーション、つまり協働の精神を身につける。足並みをそろえて動けるように、常にほかのグループと連絡をとりあう。会社内の別々の部門が協力して新しいものを創造する場合には、コラボレーションの精神が重要なのだ。

第３章では、グーグルを取り上げて、社内のさまざまな立場の人たちが協力して創意工夫する文化を、サンダー・ピチャイがどうやってつくり上げたのかを見ていく。特に検索、ハードウェア、アンドロイド、ＡＩなどのチームがかかわった、グーグルアシスタント開発でのコラボレーションを取り上げる。

なお、ピチャイが社内協働のために利用した同社の先進的なコラボレーションツールは、グーグル内での排他主義や荒らし行為、反対運動の広がりなどの問題も引き起こしており、同社はその対処法について試行錯誤している最中だ。


第4章では、ティム・クック率いるアップルを見ていく。アップルはいまだに「ビジョンを持ったトップ」の文化のもとで運営されているため、民主的な創意も、制約のないヒエラルキーも、自由なコラボレーションも、有用な内部運営技術もない。

つまり、アップルは「創業2日目」にはまりこんでいるのだ。いずれアイフォーンの売

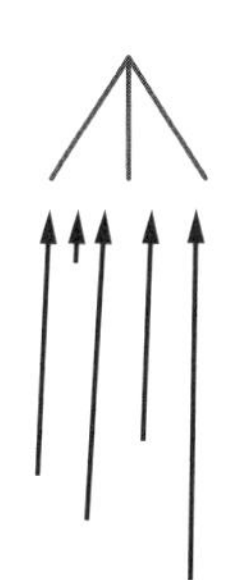

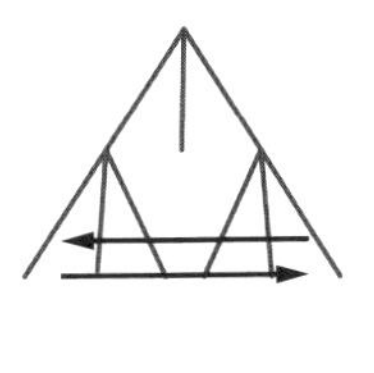

上げが下がってくれれば、改革を迫られることになるだろう。

第5章ではマイクロソフトに目を向ける。同社では、サティア・ナデラがエンジニア思考を利用して、社内に新たな変革の時代を起こそうとしている。ナデラのやり方は、前任者のスティーブ・バルマーとは異なり、本書で描く変革のシステム実践のケーススタディになっている。

エンジニア思考は、プログラムを書く業種や分野に限られたものではない。エンジニア思考とは、コンピューターのスキルではなくて、考え方なのだ。それに、テックジャイアントだけのものでもない。もっと小さな会社でも、同じように効果的に取り入れることができる。

ただし現時点では、特に技術分野において、テックジャイアント以外の企業でエンジニア思考を効果的に活用できている企業は見当たらない。

たとえば有名どころでいうと、ネットフリックスはフィードバックを取り入れているが、それを変革につなげようとはしていない。[5] テスラはいまだにトップダウン型である。[6] ウーバーの企業文化は問題が多いことで知られている。[7]

本書は、エンジニア思考を解き明かし、どのようにベゾスやザッカーバーグ、ピチャイ、ナデラがアイデアの発想をうながし、実現するための仕組みづくりをしているかを説明する。

エンジニア思考は、間もなく世界中の企業で一般的な考え方になるだろう。

本書に登場するGAFAMに代表されるテックジャイアントの物語は、世界トップクラスの企業がエンジニア思考をどのように利用しているかを伝えるとともに、読者が自分自身の職場で実践できるモデルを提供する。

本書が、何かしら価値ある教訓を伝えられることを願っている。

高速化する世界のなかで

エンジニア思考で生きる人々と論じ合うなかで、今日のビジネス界の現実がはっきりと見えてきた。たとえば、データストレージ企業のアイシロン・システムズを率いる熟練エンジニアのスジョー・パテルとの会話のなかで、彼はこう話した。

「君が起業家で、自分のアイデアを市場に持ち込もうとしているんだったら、500もあるベンチャー投資会社のうちの1つに、それがよいアイデアだということを信じさせるだけでいい。そうすれば資金を得てアイデアを実現できる。

しかし伝統的な企業のなかでは、自分のアイデアについて直接の上司に話して、上司がそれを気に入ったらその上司に話して……。それがトップに到達するまで続く。その流れのなかで誰かが却下したら、そのアイデアはごみ溜めのなかで死にはてる。むしろ、会社になんて雇われていない人のほうが、それを実現できるんだ」

パテルは、自分の会社で「実現できそうなアイデアを実際に実現するにはどうしたらよいか」をいつも考えていると言う。「伝統的な企業において、ボトムアップでアイデアを上げていく方法は絶対にうまくいかない」

この会話の数週間後に、世界銀行が2005年から2017年までの起業にかかる必要な時間（日数）と費用の変遷をまとめた研究を公開した。12年間でなんと、時間（日数）も費用も半分以下になっている。この報告を読んで、私はパテルの話を思い出した。

よいアイデアをボトムアップする仕組みがないことが過去では不利だったのだとしたら、それは現在では会社の存続を脅かすほどの脅威になっている。

伝統的な企業は、これまでになく低いコストで市場に参入できるスタートアップに脅かされている。その一方で既存の企業のなかにも、技術の活用によって実務ワークを減らして、組織全体から集めたアイデアを実現させている会社がある。

つまり、スタートアップのように運営される既存の会社も脅威となるわけだ。

いまはまさに、仕事やリーダーシップ、ビジネスの世界全体が変わる変革期にある。

読者のあなたが、企業の食物連鎖に組み込まれているかどうかにかかわらず、本書を読み終わるまでには、物事がどこに向かっていこうとしているのか、自分がどんなやり方をとっていきたいのかが、以前よりもよくわかるようになるはずだ。

ビジネスを始めるために必要な時間(日数)と費用

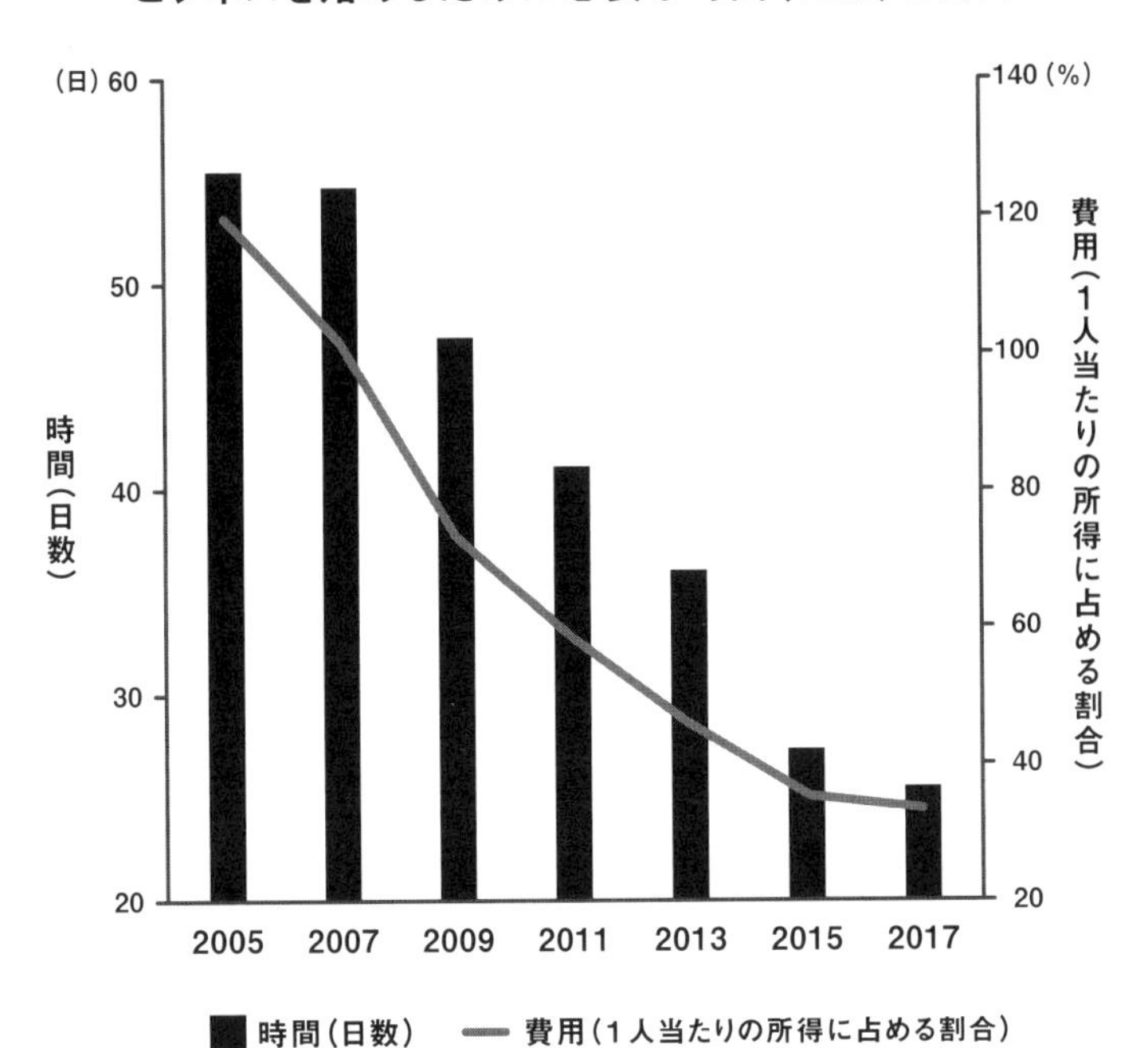

本書を読めば、ＧＡＦＡＭなどテックジャイアントのやり方がそれほどミステリアスではなく、むしろわかりやすいことに気づくだろう。

そしてそのやり方をみんなが慎重に活用するならば、もっとバランスのとれた経済にたどり着けるかもしれない。

第1章

ジェフ・ベゾスの変革の文化を探る

Amazon

アマゾンのシアトル本社は、シリコンバレーに見られるような広大な敷地のテック企業とはまるで違う。郊外の快適さと匿名性に隠れ住むことなく、アマゾンは発展中のサウス・レイク・ユニオン地域のまさにど真ん中で営業している。ドップラー（エコー）やフィオナ（キンドル）といったプロジェクトのコード名からつけられた本社ビル群が、街路に沿って立ち並ぶ。5万人を超える社員がそこで働き、さらに多くを受け入れるために新たなビルの建設が進行中だ。

通勤時間には、毎日のようにアマゾニアン（アマゾンで働く人々）の大群が近隣の街路にあふれるため、その流れのどれかにのって歩いていけば、アマゾンで現在研究が進められているプロジェクトのオフィスにすぐたどり着けるだろう。

変革を習慣づけたベゾス

アマゾンはジェフ・ベゾスのオフィスの数階下、デイワン（創業初日）オフィス棟の1階に、アマゾンGO（GO）というレジのない新形式のコンビニエンスストアを運営している。

GOで何かを買うときは、入口でまずアプリをスキャンして、ほしいものを棚からとって、あとは……出ていくだけだ。しばらくすると、買った品物の代金が記載された領収書がアマゾンからスマートフォンに届く。GOには行列も順番待ちもレジも必要ない。まるで未来を見ているかのようだ。おそらく未来はこうなるのだろう。

GOにはいくつもの印象的な技術が使われていて、その多くは頭上を見上げれば目に入る。あらゆる方向に向いたカメラやセンサーが天井に並び、陳列棚の間を歩く人の身体とその動きをとらえている。

コンピューター・ビジョン（機械学習の一種）を利用して、GOはあなたが誰で、何を手にとり、何を棚に戻したかを把握する。それから課金する。何度も試した経験からいって、GOはほぼ間違えることがない。商品を隠したり、全速力で走り込んだ後、すぐに走り出たり（滞在時間16秒）、私がどんなことをしても、GOが商品を計上できないことはなかった。

GOの背景にある物語は、ハードウェアとプログラムにとどまらない。それは何よりも、目には見えないアマゾンならではの企業文化の成果なのだ。

アマゾンでは、ベゾスが変革を社内に行き渡らせていて、GOなどの新しい実験的企画の創造を会社のビジネスの中心にすえて、主要なアマゾン・ドットコム（ドットコム）の運用と並べて重要視している。

アマゾンに属するすべての人はヒエラルキーの最上層から最下層に至るまで、誰もがアイデアを出せる。そしてベゾスはできる限りすべてを自動化することで、変革の余地をさらに増やす。

アマゾンの創始者でありCEOであるベゾスの仕事は、ただ創意工夫をうながすことだけではない。**ベゾスはアイデアが大量に生まれるような仕組みをつくり、一度採用したアイデアに対しては成功に向けてあらゆるチャンスを与えてきた。**

たとえばGOは当初、巨大な自動販売機として提案された。それがベゾスの検討を経て、人間の購買行動を変える力を持った存在に変身したのだ。

私たちがスピーカーや電子レンジ、時計に話しかけるようになったのは、ベゾスの変革の文化がきっかけだ。どれもアマゾンの音声AI「アレクサ」が組み込まれている機器である。本をモニターで読むようになり、会社をクラウド上でつくるようになり、インターネットで思うままに買い物をするようになったのもアマゾンの影響だ。おそらくもうすぐ、レジに寄らずにどの店からも出ていくようになるだろう。

「変革はベゾスの燃料、彼の知性を刺激するものです。変革は彼の体に組み込まれ、アマゾンという企業の基礎になっています」と、アマゾンのワールドワイド・コンシューマー部門CEOでベゾスの片腕のジェフ・ウィルクは言う。「彼が一番楽しそうに見えるのは、創意工夫や洞察、革新、それから先進的な思考に出合ったときですからね」

ベゾスのリーダーシップ原則

ほとんどのアマゾニアンは、ベゾスがアマゾンの変革の文化を醸成するためにつくった14項目のリーダーシップ原則[1]を、自分自身の宗教よりも深く精神に刻み込んでいる。そのため、時にはまるでカルト宗教のように感じられることすらある。

ベゾスのリーダーシップ原則は社内で下される決断の指針となる。また、会議などで熱弁され、仕事を離れたアマゾニアン同士の雑談にも登場する。

アマゾンで働くと、リーダーシップ原則が心身に染み込むのだ。そのためアマゾニアンはほかの会社では働きづらく、アマゾンを辞めた元社員の多くが「舞い戻る」ことになるという。またある元社員は、自分の子供にもリーダーシップ原則を教えていると言っていた。

ベゾスのリーダーシップ原則を学べば学ぶほど、それが変革のためのマニュアルであることがよくわかってくる。すなわち新しいアイデアを呼び起こし、最良のアイデアの邪魔になりがちな会社組織の問題点を取り除き、成功のチャンスがあるアイデアを現実のものとなるようにしてくれるのだ。

リーダーシップ原則には、たとえば次のようなものがある。

大きく考えよ

これはアマゾニアンに向けて、次の大規模な製品やプロセス、サービスを思い描くようにうながすものだ。そして、そのアイデアの実現も発案者が担当できる。

リーダーシップ原則が言うには「小さく考えるとは、自分でできる範囲しか予想しないことだ。リーダーは広い視野で創造し、コミュニケーションするなかでひらめきを得る。リーダーは人とは違う考え方をして、顧客にサービスするための手段を探して隅々まで見渡す」

創意工夫せよ、単純化せよ

これは、変革をアマゾニアンの仕事の中核におく標語だ。

「リーダーは変革と革新を期待して要求する」と原則は述べている。

「リーダーは外の世界をよく見て、どこからでも新しいアイデアを見つけ『変革の余地はない』という言葉に邪魔されない」

この原則をもっと素直に読めば「アマゾンでの目標は変革すること以外にない。変革しなければ、担当する仕事が単純化され、ついには自動化されてなくなってしまう。アマゾンでは変革するか、出ていくかしかない」となる。

行動志向になれ

これはアマゾニアンに向けて、新しいものをつくりだすためには長々と開発するよりも、さっさと発表してしまうべきだと述べている原則だ。

「多くの決断や行動はとり返せるもので、広く調査をする必要はない。私たちは計算したうえでリスクをとることを高く評価する」

あるアマゾニアンは仕事場のスペースを広げるため、のこぎりを持ってきて机の一部を切り取った。管理部門から非難されると、「行動志向になれ」を引用して釈明したという。

気骨を持って反論し、注力せよ

これはアマゾニアンに、反対意見を述べつつ裁量は本人に任せることを示し、ボトルネックにならない方法を伝えている。

「リーダーは、ある決断に異論があるときには誠意を持って反論する義務がある。たとえそれが気まずくて、疲れるとしても」と原則は言う。「そして決定されたら、全力を傾ける」

ある元社員によれば、ベゾスは製品ページにカスタマーQ&Aを載せるのに反対だったが、担当チームが載せる方針に決めたので認めたという。いまではこのカスタマーQ&A は、アマゾンに不可欠な要素になっている。

顧客を第一に考えよ

この原則は、何よりも顧客を優先することを述べている。

「リーダーは顧客から始めて、仕事はその後に考える。リーダーは競合相手に注意を払うが、それよりも顧客を第一に考える」

アマゾンの顧客第一主義は、この会社の自社に有利な取引をしようとする姿勢や独占志向、従業員の待遇の悪さなどにも現れている。これらの行動は価格を下げたりサービスを改善したりすることにはなるが、どちらもどこかで目に見えないコストが払われている。

あるアイデアがアマゾンの顧客には不十分だとなったら、そのアイデアは振出しに戻される。あるGOのプロジェクト・メンバーは話す。

「GOという店の魔法は、ただ入って出てくるだけでいいという事実によるものです。当初の自動販売機というアイデアでは精算の問題を解消できず、その問題の優先順位を下げただけでした」

だから、自動販売機プランは採用されなかったわけだ。

ベゾスは目の付けどころがいい。**今日のテクノロジー主導の経済では、変革は単にあれば有利というだけでなく、必要不可欠なものだ。**史上もっとも創造のコストが低くなった現在のプログラミング主導の世界では、自社が開発したものであっても、競争相手が容易にまねすることができてしまう。生き残るには、常に次の大きなものを創造しつづける必要がある。

だからベゾスは、この目標にすべてのアマゾニアンを向かわせてきた。

「財務、法務、人事、商品管理、顧客サービス、この会社のすべての面に変革があります」とウィルクは話す。「変革はこの会社で働く全員にとって働き方の一部になっているのです」

ベゾスは、アマゾン内部で従業員の意識変革を強化して、自分が創造したものを自分で運用する（もう1つのリーダーシップ原則「**オーナーシップを持て**」）という文化を築いてきた。

知れば知るほど、アマゾンに利益を出すことを求めないウォール・ストリートの投資家たちに支えられたこの変革の文化が、エコーやキンドル、プライム、アマゾン・ウェブ・サービス（AWS）、アマゾン・ドットコムといった、アマゾンの主要な製品やサービスのもとになっていることが明らかになる。

未来をつくる6ページ文書

2004年6月9日午後6時2分、ジェフ・ベゾスはパワーポイントの使用を全社で禁止した。彼が幹部に送った電子メールには、それを単刀直入に知らせるタイトルがついていた。「これ以降はパワーポイントでのプレゼンテーションは行わないこと」[2]

ベゾスいわく「パワーポイントは恐るべき売り込みツールだ。箇条書きやしゃれたテンプレートでドレスアップして、ささいなアイデアをすばらしく見せてしまう」

同じ理由で、パワーポイントは変革にとっても恐るべき存在なのだ。ベゾスによれば「アイデアをもっともらしく言いつくろうことができる」ため、欠点があったり不完全なコンセプトでも、プレゼンテーションの時点では気づかないことが多いという。

ベゾスが代わりに提案したのは、文章で書くことだった。

ベゾスはスライドショーの代替として、新しい製品やサービスについてのアイデアを完全な文と段落で構成された文章にするようにとアマゾニアンに求めた。

箇条書きを使わず、まとまった文章を書くことで、考察の穴を指摘しやすく、提案の作成中にアマゾニアンたちの想像力が自由に羽ばたけるようにしたのだ。

「物語構造の文章には、何が何よりも重要か、物事がどう関連しているかについて、より深く考え、よりよく理解させる力がある」とベゾスは書いている。

価値を持つことは大切だ。リーダーシップ原則には、アマゾンが何に価値をおくかがはっきりと表明されている。ただし、社員たちがそれらの価値を実践に移せる仕組みがなければ意味がない。

ベゾスは、「パワーポイント禁止」メールの送信ボタンを押した瞬間に、書き言葉による文書を中心とするアマゾンの変革の仕組みの基礎をつくったのだ。

現在、アマゾン内のすべての新プロジェクトは文書で始まる。

これらの文書は、未来を舞台に提案する製品がどんなものかについて、まだ誰も何もしていないうちに事細かに説明するものだ。

アマゾニアンたちは、これを「さかのぼって作業する」と呼ぶ。まず完成品を思い描いて、そこからさかのぼって取り組んでいくわけだ。

この文書は上限6ページで、行間を空けずに11ポイントのカリブリ・フォントで印字され、提案する新製品やサービスについて伝えたいことがすべて詳細に書かれる。

私は、シアトルで「6ページ文書」の1つを見る機会があった。消去したことになっている文書なので、見せてくれた元アマゾニアンは匿名とする。

その文書は網羅的で、提案する新サービスの概要と、そのサービスの展開が顧客にどのような意味があるのか、アマゾンに商品を供給するベンダーにとっての意味は何か、さらに財務計画、国際化、価格設定、作業スケジュール、収益予測、成功の評価基準まで書かれていた。[3]

6ページ文書を書くのはSF小説を書くのに似ていると、ある元アマゾニアンは言った。「それは、未来を舞台にした将来そうなると信じているものの物語、存在しないものについての物語です」

実際、6ページ文書にはフィクションも含まれる。提案する製品を世界に向けて発表するプレスリリースや、その製品の導入を歓迎する経営陣の声などが創作されることも多い。

6ページ文書が十分に練られて検討段階に入ると、SF小説を現実にするために力を貸せるアマゾン幹部陣の会議が招集され、ちょっと変わった光景が展開される。

パワーポイントを見せながら発表するわけではないので、アマゾンでの会議は沈黙で始まる。**15分から1時間ほど、室内の全員が黙って文書を読み、メモをとり、質問を準備する。**

文書の書き手には苦しい時間だ。アマゾンの幹部たち、時にはベゾス自身がただ座って、一言も話さずに自分のアイデアを隅々まで吟味するのを見ていなければならないのだ。元シニアマネジャーのサンディ・リンいわく「ジェフとの定例会議のようなものはありません。アイデアを提案するのは一発勝負です」

6ページ文書をいくつも書いた（その証拠に特許を8つ持っている）元ジェネラルマネジャーのニール・アッカーマンは「何カ月もかけて文書を書くんだ」と説明する。「そして会議の最初の1時間は、ステープラーでとめた資料と蛍光ペンと鉛筆を全員に渡して待つだけだ。前もって資料を読んではならない決まりだから、事前にメールしたりはしない。それからたっぷり1時間は、だいたいみんな黙って読んでいる」

文書を読む時間が終わると、一番上席のメンバーが口火を切り、その後は全員から容赦ない質問が浴びせられる。

「それからさらに1時間はかかる」とアッカーマンは言う。「質問に答えて、また質問に答えて。必ず質問の集中砲火を浴びる。そして提案が認められれば、自分のプロジェクトを持てることになる」

6ページ文書が承認されると、提案者に予算が与えられ、人員を集めて、描いた夢を形づくることになる。そして変革をうながすために、6ページ文書を書いた本人をそのアイデアを実現するための責任者にする。それが重要なのだ。

その過程を身をもって体験した元アマゾニアンのミカ・ボールドウィンは「変革には２つの面があります」と言ってこう続けた。

「『考えること』と『実践すること』です。**ほとんどの実行者は考えることをしないし、ほとんどの考案者は実践しません。文章形式のよいところは、どうしても両方をやらなければならない**ことです。

あるアイデアについて最初から最後まで、誰が関心を持つか、誰が求めているか、誰が顧客になるか、何もかもすべて考えなければなりません。同時に、そのアイデアを実践に向けた文章形式に落とし込まなければなりません。

もし私がそのアイデアを整理して示さなければ、相手はそもそもそれがなんだかわからないし、それについて意見を持つこともできなければ、サポートするかどうかも決められないからです。

そして会議で提案が承認されたら、プロジェクトの責任は私が負うことになります。解説記事を書いたわけではないから、**考えなければならないし、実践しなければならない。その２つが相まって変革が起こる**んです」

６ページ文書はアマゾン内部の変革を民主化する。社内の誰が書いてもかまわないし、魅力が十分にあれば幹部のレビューに回される。

「私は別の部署から届いた自分の部下以外の6ページ文書も読みました」とウィルクは話した。「伝統的な社内の組織構造でいうと、何階層も下の従業員が出した6ページ文書も読みました。どこからでも提出できますからね」

6ページ文書は、ベゾスや幹部たちがプロジェクトの提案内容を理解しやすいように細部まで練られている。彼らはそれをもとにプロジェクトを承認したり拒否したり、チームに差し戻して練り直させたりする。

この仕組みのなかで、アマゾニアンはプロジェクトの成功に向けて励む。**6ページ文書を通して常に改善し、調整し、創意工夫する。**そしてベゾスは、彼らの活動をうながす役割を果たす。

企業文化を変革の文化として描くことは奇妙で、こじつけめいて聞こえるかもしれない。普通の会社では従業員がエネルギーを集中させるのはSF小説を書くことではなく、会社を運営しつづけることなのだから。もちろんアマゾニアンもメーカーとの関係を維持しなければならないし、倉庫の在庫管理もしなければならないし、商品も出荷しなければならない。

ではどうやって、変革に集中できるのだろうか?

そう、ここでロボットが登場する。

ベゾスのロボット従業員

アマゾンのシアトル本社から数千マイル東、ニュージャージー州東部の高速道路からほど近い場所に、ベージュとグレーに塗られた巨大な倉庫がある。アメフトのフィールドがいくつも入るほどの大きさだ。より正確には15個分で、NFLでもっとも試合数の多い日曜日に使われる全競技場の総面積を超える。

近隣のニューアーク・リバティ国際空港のコード名をとってEWR9と名づけられた倉庫は、アマゾンが毎日顧客に送り出す何百万もの商品の保管と梱包、出荷を担う175以上のフルフィルメントセンターの1つだ。EWR9だけで、20時間の一操業期間に何十万個もの荷物を出荷できる。

EWR9を訪問した2018年8月の真夏日、フルフィルメントセンターには人間の「アソシエイト」と一緒に働くロボットたちのたてる音が響いていた。

小さなオレンジ色のルンバに似たロボットは、広大な洞窟のようなフルフィルメントセンターの中を自在に動き回っていた。ロボットは、背の高い黄色い商品棚の下にすべり込み、棚を持ち上げ、回転させて、保管庫と人間の労働者の間を往き来する。その調整された動きは、まるでダンスを踊っているように見えた。

より創造的な仕事をする自由を従業員に与えるために、できる限りあらゆるものを自動化しようとするベゾスの強迫観念がもっともよくわかる例が、このロボットだ。

「従業員によい仕事をさせるために、コンピューター技術を利用することに彼が興味を持たなかったためしはありません」とウィルクは話した。「会社を始めたころから、もっと革新的な仕事ができる人間がルーティンワークに就いているのに気づいたら、『どうしたらその処理を自動化できるか？　どうしたらその決まりきった作業を自動化して、従業員をできる限り創造的に働かせられるか？』と言う人でした」

ＥＷＲ９に到着した私は、「カリスマ」ジェネラルマネジャーのプレート・ビルディに歓迎された（彼はその後転勤して、ボルティモアで同じ役職に就いた）。

ビルディは背が高く、とてもにこやかで、よく響く声の根っからの会社人間だった。

私の訪問中ずっと、ビルディは一片の皮肉も交えずに、楽観的な見通しを絶え間なく語りつづけた。「ここで働く機会があったら、それはもうすばらしい経験になりますよ」と言って彼はこう続けた。「アマゾンのロボットは、アソシエイトたちと実にクールでナイスなかたちで働いています」

アマゾンは宣伝を嫌う会社とはいえ、ビルディを野放しにしている理由は明らかだ。歩きながらプレスリリースをするくせはさておき、ビルディはロボットとともに働く人間を率いる新しいタイプの管理者だ。

アマゾンは過去8年にわたって、人間とロボットの協働の方法を探ってきた。2012年3月には、配送センターで使われるロボットのメーカー「キバ・システムズ」を買収し[4]、それ以来驚くべきスピードでロボットの配備を進めてきた。

2014年までに配送センターにおよそ1万5000台を配備し[5]、2015年までに3万台を運用した[6]。現在は約80万人の人間の従業員に加えて、20万台以上のロボットを「雇用」している。EWR9では、約2000人が数百台のロボットと働いている。

ロボットは配送センターの運営方法を変えた。 ロボットの導入前には、人間がアマゾンの巨大な倉庫を歩いて回って、顧客の購入した商品をピックアップして、出荷場所に持って戻っていた（なお、ロボットが配備されていないアマゾン配送センターでは、いまだに以前のままだ）。

だがその仕事は、いまやロボットに任されている。さらにロボット技術の進歩によって、アマゾンはそれ以外の配送業務の中核部分も自動化しようとしている。[7]

現在は「収納」「取り出し」「梱包」担当の人間が残っている。収納担当は棚に商品を積み込み、取り出し担当は購入された品物を棚から取り出し、梱包担当はその品物を配送用の箱や封筒に梱包する。これらの作業の間に、ロボットは「ロボティクスフロア」に棚を持ち帰り、次に運ばれるのを待つほかの棚と並べて置く。

人間とロボットのコラボレーションは見物だ。アマゾンで商品が注文されると、ロボットがその商品の入った棚に向かい、その下にすべり込み、棚を持ち上げてワークステーションの横に並び、ソフトウェアの指示が出たら人間の作業員の前に移動して待ち、作業員が商品を取り出したら去っていく。

取り出し担当の仕事を見て、その効率のよさに感動した。作業員が棚から商品を取り出して、容器に放り込む。ロボットがすばやく走り去って、次のロボットがやってくる。棚の一部が光って、そこから商品を取り出すと、ロボットが入れ替わる。すべてがとてもすばやく動いていた。

この流れをスムーズにしているのは、内部の先進的なソフトウェアだ。ロボットは床に散らされたQRコードを読んでフルフィルメントセンターを動き回る。ロボットがコードの上を通過すると、待つか次のQRコードに進むかの指令を受け、進むとそこでまた次の指令を受ける。システムはそれぞれの取り出し担当や収納担当の作業速度を把握していて、作業の速い人のほうに多くのロボットを送る。

私が訪問したワシントン州ケントにある別の配送センターでは、ロボットがカメラの前で止まって、カメラが棚をスキャンし、コンピューター・ビジョンで空きスペースの分量をはかり、いつ収納担当に回して収納を追加するかのタイミングを決定していた。取り出し担当のなかには、スピードを競う「配送センターゲーム」をしている人たちもいる。

実務ワークの自動化

私が訪問した2カ所のフルフィルメントセンターで会った従業員たちは楽しそうで、アマゾンでの仕事に満足しているようだった。しかし、どこでもそうとは限らない。

英国人ジャーナリストのジェームズ・ブラッドワースは、2018年の著書『アマゾンの倉庫で絶望し、ウーバーの車で発狂した』（光文社）の調査の過程でアマゾン配送センターに潜入したが、あるとき床に小便の入ったペットボトルを見つけたという。

それは明らかに生産目標に届かないことを恐れるあまり、トイレ休憩をとりたくなかったアソシエイトが残したものだった。[8] アマゾンでの仕事は厳しい。感謝祭とクリスマス前の繁忙期には特に忙しくなる。以前は、需要に応えるためにオフィスの社員もフルフィルメントセンターでの勤務に加わっていたほどだ。[9]

ケント配送センターで、メリッサという取り出し担当に会った。タトゥーを入れた20代の女性で、スターバックスでもアルバイトしていた。彼女は、アマゾンがいつの日かフルフィルメントセンターの仕事をさらに自動化するのが心配だと言っていた。

「トートに物を入れるだけの人はもうすぐいらなくなりそう」

トートとは、アマゾンで商品を入れる容器を指す言葉だ。

プレート・ビルディにこの話題をふったときには、かなり気まずい会話になった。

「アマゾンは反復作業が嫌いですよね」と私は言った。「ちょっと調べればそれはすぐにわかりますが……」

「おっしゃる意味がよくわかりません」とビルディはさえぎった。「反復作業について説明してもらえますか？」

「繰り返される、付加価値の低い作業のことで……」

「もうわかりました」

「質問の前提がお気に召さないようですね」

「私は反復作業について理解したかっただけです」とビルディは答えた。「注文品を取り出すこと、それは反復作業と考えられます。梱包や出荷もそうです。でも、私たちはそのためにここで働いているんです」

私はビルディに、**もし担当作業が自動化されたらアマゾンのアソシエイトはどうなるのか**と聞いた。彼によれば、選択肢は2つあるという。

梱包など、フルフィルメントセンター内での似たような仕事に就くことができる。または訓練コースで、何かもっと技術力が必要な仕事を学ぶこともできる。3〜4週間の訓練で、アマゾンのロボティクスフロア・テクニシャンなどの仕事に就けるようになるという。

「昔ながらのフルフィルメントセンターにはなかった仕事ですよ」とビルディは言った。

EWR9では、これまで存在しなかった職名を次から次へと耳にすることになった。ロボティクスフロア・テクニシャン、アメニティー・プロフェッショナル（ロボットが落とした商品を掃除する）、ICQAメンバー（棚の品物を数えて、システム上の数と合っていることを確認する）、クォーターバック（上階からロボティクスフロアを監視する）など。

アマゾンは20万台のロボットを増やしたと同時に、人間の仕事も30万個増やしたのだ。

アマゾンの自動化推進は必ずしもアソシエイトを解雇することにはつながらないが、彼らに対して常に変わりつづけることを強制する。変わりつづけることは退屈しない反面、消耗するものだ。アマゾンでは、ある日やっていた仕事が次の日にはコンピューターやロボットに置きかえられても不思議ではない。

「生涯学習の方法を教える必要があります」とウィルクは話した。「稼ぐための方法やその学び方、そしてそれにどれだけの時間を費やすかが、変わりつつあるんです」

アマゾンはこの件については誠実に対応している。**従業員に何が起こるかを知らせて、新しい仕事に就くためのトレーニングを提供しているの**だ。

たとえば、アマゾンの「A2テック・トレーニングコース」では、教育、実践作業、試験を通して、アソシエイトにフルフィルメントセンター内での技術的な仕事の実践方法を教えている。別のプログラム「キャリア選択」では、上限4年間または1万2500ドルで、フルフィルメントセンターの従業員がなんらかの学位や免許の取得に必要な授業料を支払う場合に95パーセントを補助している。

常に変わりつづけることは、変化にうまく対応できない人には過酷かもしれないとベゾスも認めている。

ベテラン技術ジャーナリストのウォルト・モスバーグによる2016年のインタビューで、ベゾスは「我々は自分自身のために挑戦を選びとったことによって、未来的な環境で働けるようになりつつある。向いている人には、未来的環境で働くことは非常に楽しいものだ」と話している。[10]「私が思うに、変化を嫌う人にはハイテク業界の仕事はあまり向いていない。非常に厳しいし、もっとずっと安定した業界もある。そういう人は変化の少ない、もっと安定した業界の仕事を選んだほうが、きっと幸せだろう」

それはいい考えかもしれないが、そういう仕事に移った人が安泰かというとそうとばかりもいえない。**アマゾンの労働者が経験しているような働き方の変化はどこにいても感じられるようになりつつある**からだ。

ベゾスがもっと安定している職業として例にあげた保険査定員でさえ、自動化が進んでいて、そのことには彼もすぐに気づいた。モスバーグがベゾスに、いまどきの保険査定員はアイパッドを使っていると言うと、ベゾスは「すぐに機械学習も使うようになるさ」と答えた。

ベゾスは正しかった。保険会社はすでに、住宅保険の保険率の計算や運転手の安全監視に機械学習を利用している。また、ユーアイパスのマイアミ・カンファレンスでの体験でも書いたとおり、これらのシステムは保険査定を完全に自動化しつつあるようだ。

変化のただなかで、アマゾンにはひとつ変わらないものがある。変革への決意だ。

多くの労働を自動化することで、オフィス職員は変革のプロセスに集中できる（もう繁忙期に梱包作業をする必要はない）。また、フルフィルメントセンターのアソシエイトにも自分自身の変革のための時間ができる。

EWR9でビルディは「継続的な改善ボックス」を見せてくれた。従業員が新しい製品やプロセス、フルフィルメントセンターのちょっとした改良についてのアイデアを入れるものだ。毎週水曜日、ビルディと管理職の面々が45分間かけてよいアイデアをレビューする。

いいアイデアがあれば、勤務時間中に発案者に時間と費用を有給で割り当てて、そのアイデアを実現するように奨励する。ちょっとした例をあげれば、容器を黄色にして商品を見つけやすくして仕事の効率が上がったのは、フルフィルメントセンターからのフィードバックによるものだった。

ハンドルから手を放す

アマゾンは、信じがたいほどに人間が予測可能だという事実をよく知っている。

「郵便番号を1つ選んでくれれば、その地域の人がどんな服を着て何を買って何をしているか、アマゾンはかなり多くのことを教えられます」と元ジェネラルマネジャーのニール・アッカーマンは言った。「家々を回ってごらんなさい、みんな同じような服を着て同じようなものを食べ、同じような部屋に住んで、同じものを買っているんです。色くらいは違うでしょうが、ほとんど予測できますよ」

25年分の購買履歴を自由に活用できるアマゾンは「消費者が何を、いつほしいか」を把握しているため、顧客が次に注文しそうなものを近くのフルフィルメントセンターに送っておいて、「買う」ボタンを押したら即出荷できるようにしている。

アマゾンは、冬用のコートの注文が多くなるのは秋だと知っている。しかしそれにとどまらず、ある郵便番号ではノースフェイスのジャケットがたくさん売れることがわかっているから、その近くのフルフィルメントセンターにノースフェイスを大量入荷しておけるのだ。

この知識を利用して、アマゾンは「ハンズオフ・ザ・ホイール（ハンドルから手を放す）」構想のもとで、社内の多種多様な事務作業を自動化している。

顧客に販売する商品を保管するアマゾンのフルフィルメントセンターは、1億5000万人以上の有料のプライム会員に2日で荷物を届けるために必須の施設だ（最近は1日で配送するサービスも始まっている）。

アマゾンには、フルフィルメントセンターでの処理をスムーズに進めるため「ベンダーマネジャー」という職位がある。

たとえばある洗剤メーカーを担当するベンダーマネジャーは、各フルフィルメントセンターに「どのくらいの量の洗剤を配置するか」「必要な時期はいつか」「1ユニットいくらで仕入れるか」などを割り出す。それから、メーカーと価格交渉をして発注する。

この職位は以前、社内であこがれのものだった。おもしろくて人間関係が築けて、世界トップクラスのブランドと接するきっかけになる仕事だったからだ。

しかしアマゾンでは常に、変化が近くに潜んでいる。2012年にアマゾン幹部は、ベンダーマネジャーの主な仕事の一部は、人間によって担当する必要がないのではないかと検討しはじめた。

人間が予測可能な存在なら**「どんな商品を」「どのフルフィルメントセンターに」「いつ」「どのくらい」「いくらで用意するか」について、自社開発のアルゴリズムによって決定できる可能性がある。**むしろアルゴリズムのほうが、人間よりもその仕事に向いているかもしれない。

「旧来のバイヤーの仕事では同じことを何度も繰り返す」とアッカーマンは話した。「電話がかかってきて、売り込みを受けて、商品を買い込む。人間だから分量を正確に予測できるわけではない。ところがびっくり、人々はその商品を買う。それが循環していく。繰り返し予測できる行動については、予測をするのが人間である必要はない。正直なところ、コンピューターやアルゴリズム、機械学習はその点では人間よりも賢い」

そう認識して、**アマゾン幹部たちは「予測・値付け・購入」を含む旧来のベンダーマネジャーの仕事を自動化することに決めた。**アマゾンでは、この構想を「プロジェクト・ヨーダ」と呼びはじめた。ベンダーマネジャーが作業する代わりにアマゾンはフォースを使うのだ。

機械学習による予測の導入

2012年11月、ラルフ・ヘルブリッヒが機械学習のディレクターとしてアマゾンに加わった。彼の最初の目標の1つは、プロジェクト・ヨーダを始動することだった。

「働きはじめたときのことを思い出します。まだ意思決定や予測の多くが手動でした」

2019年末にアマゾンを去ったヘルブリッヒは、ベルリンからの国際電話でこう語った。「まずアルゴリズムを検討するところから始めたんです。実際、それが私の最初のプロジェクトの1つでした」

ヘルブリッヒの機械学習チームに所属する科学者たちは、時には必要に応じて数十人から100人以上と幅があったが、数年間をプロジェクト・ヨーダを実現することに没頭した。最初は教科書どおりの機械学習手法をいくつか試した。大量に購入される商品の注文を予測するときは思った通りに動いたが、散発的に購入される商品に適用するとうまくいかなかったという。

「たぶん、100種類や1000種類程度だったらうまく動いたでしょう」とヘルブリッヒは教科書どおりの手法を評した。「でも、私たちが扱っていたのは2000万種類でした」

そこで改良が必要になった。ヘルブリッヒのチームは、新しい方法を思いつくたびに前年の注文でシミュレーションして、人間のベンダーマネジャーが実際に出した数字と比較して検証した。

無数の試行錯誤を経てヘルブリッヒの機械予測の精度は向上し、アマゾンは従業員のワークフロー・ツールに機械予測を導入しはじめた。ベンダーマネジャーは、各地域に保管すべき商品のユニット数についての機械予測を確認できるようになった。

ベンダーマネジャーと製品発注をサポートする立場のスタッフは、これらのシステムを利用して、ヘルブリッヒが言うところの「意思決定を拡張する」ことができた。

２０１５年、プロジェクト・ヨーダは「ハンズオフ・ザ・ホイール」になった。その名称がこの構想の目指すところをあますところなく説明している。**アマゾンのベンダーマネジャーは、決定の際に単に機械学習アルゴリズムの予測を参考にするだけでなく、自動化システムに仕事をやらせるように指示された。**

さらに小売関連の分野では、完全にハンドルから手を放すべき仕事の割合について、高い目標が設定された。人間による介入は原則禁止されて、介入が必要なときはカテゴリーマネジャー（その分野のＣＥＯ的存在）による許可が必要となった。

このようにして、ベンダーマネジャーの仕事は大幅に変わった。

「昔ほど自由に発注できなくなりました」と元ベンダーマネジャーのエレイン・クォンは言った。「ホリデーシーズン前には、勤務時間の大半は何を発注するかを考えていたものです。何を買うかを決めるのがバイヤーの仕事ですから。その仕事もだんだんなくなってきました。経営陣が『君たちにその仕事をさせるつもりはない』と言ったようなものです」

報復を避けるために「ティム」という呼び名以外は明かさない約束になっている元アマゾン従業員は、ハンズオフ・ザ・ホイールの目的についての説明会で、どう考えても明白に思われることを指摘したという。

「はっきり言って、私たちはここで働いていてもやる仕事がないんだから、ほかにできる仕事内容を見つけるべきなんじゃありませんか」

笑い声があがったが、ティムはまじめだった。そして最後には説明者もそれを認めて、このプロジェクトは人間の仕事量を減らすことになるだろうと言った。「結局認めたけれど、あんまり率直には言いたくなさそうだった」とティムは振り返った。

ハンズオフ・ザ・ホイールは最終的に、小売部門全体に広がった。

いまでは「予測」「値付け」「仕入れ」「在庫計画」が、全部または部分的に自動化されている。 商品化、マーケティング、それに交渉さえも、アマゾンでは一部が自動化されている。現在、サプライヤーがアマゾンと取引したい場合は、ベンダーマネジャーではなくコンピューターによる窓口と交渉することが多い。自動車は運転手なしで走っているのだ。

アマゾンのAIとのコラボレーション

この種の物語は、ここから大量解雇や仕事の消滅、そして終末にいたる暗い道筋を通るものだ。この場合もそうかもしれない。しかし、ハンズオフ・ザ・ホイールを経験してきたアマゾニアンたちと話して、私は彼らの淡々とした態度と、予測される将来に対する不安のなさに驚いた。

「アルゴリズムで発注が自動化されると聞いたとき、それで私の仕事はどうなるのと思いました。そう考えるに決まってます」とクォンは話した。「ただ同時に驚きはなく、たしかにビジネスとしては納得がいくし、テック企業の向かうべき方向に沿っているとも思いました」

少し苦々しい様子ではあったが、ティムも同じ結論だった。

「まったく変わってしまった。それまでやれと言われていたことを、やらないようにと言われた。仕事がなくなるのはちょっと悲しい。でも、その論理に反対するのは難しい」

ある従業員は、アマゾンでは「常に自分の仕事がなくなるように努力しつづけている。毎日同じことを繰り返すべきではない。何かをずっとやりつづけるようになったら、それを単純化する仕組みを見つけなければならない」のだという。

ビジネスの観点からは、報酬の一部を株で受け取っているアマゾニアンがなぜそのように感じるのかはすぐに理解できる。**アマゾンのビジネスは「フライホイール」、すなわち個々の構成要素が改良されると全体が向上し強化される「自己強化型システム」なのだ。**

低価格で多様な商品と便利な購入体験を提供することで、アマゾンは商品を購入しようとする人々からのトラフィックを生み出している。そしてこのトラフィックによって、アマゾンが販売者にとってさらに魅力的な場所となり、販売者はアマゾンの顧客に向けてより多くの商品をより安く提供し、さらなる需要が生まれる。こうしてフライホイールは回るのだ。

管理しなければならないサプライヤーが少なかった初期のアマゾンでは、ベンダーとの交渉のために人間を雇用することができた。

しかし、アマゾンの取扱い規模が1200万品目にまで成長すると、個々のベンダーとの交渉に必要な人件費がふくれあがって、価格の上昇につながり、フライホイールの回転を邪魔する原因になると予想されたのだ。

「技術を必要としない方法でアマゾンのビジネスを始めることはできるでしょうが、成長させることはできません」とヘルブリッヒは話した。「我々のフライホイールに含まれる各プロセスの機能を高めるには、**人間が下している決断の一定部分、特に繰り返すパターンにもとづいた決断を自動化するしかありません**。AIを導入すべき場所はそこです」

ヘルブリッヒによれば、20年前には1人のベンダーマネジャーが数百の商品を取り扱えばよかった。現在では、その数が1万から10万になっているという（アマゾンの広報担当によれば、ヘルブリッヒはこれらの数字を例としてあげただけで、実際は異なるそうだ）。

予測や仕入れ、交渉といった小売担当の仕事の自動化に際して、アマゾンはその職位をなくしはしなかったが、仕事の内容を根本的に変えた。

ベンダーマネジャーは、いまや実行者というより監査人だ。

「仕事が入力から選択になったわけです」とヘルブリッヒは話した。「問題が起こったときによくわかることですが、現在のベンダーマネジャーはアルゴリズムへのどの入力がよくないのかを診断するスキルを持っている必要があります。その仕事は、どの程度購入するかという『出力』をすることから、『入力』を修正することに変わっています」

実際の例をあげて解説しよう。アマゾンの在庫予測システムが、基本的な衣料品の販売予測に失敗したことがある。ヘルブリッヒにとっては青天の霹靂の事態だった。白い靴下の販売予測が難しいはずがない。そこで色についての予測ツールへの入力の見直しをすると、アマゾンには色のカテゴリーが全部で5万8000種あることがわかった。そこで誤字や特殊なつづり方をシステムから排除して色の標準化を行ったら、問題は解決したという。

おかしな予測を無効にする、つまりホイールを握ってしまうと、アルゴリズムを動かす入力にある問題点が見えなくなってしまう。**入力を修正する（この場合は色のカテゴリーを標準化する）ことでこそ、システムを修正できるのだ。**

ハンズオフ・ザ・ホイールは、アマゾンでベンダーマネジャーとマーケティング担当以外にも広がっている。たとえば翻訳担当も、いまでは機械学習の監査人になりつつある。アマゾンの翻訳担当は、商品ページ自体を翻訳するのではなく、自動翻訳を監視してシステムが一定程度以上のレベルで正確に表示しているかをチェックし、必要に応じて修正を行っている。もともとほかの言語で書かれた商品ページで何かを注文しようとするとき、そのページを翻訳したのが人間かＡＩかは判別できないことが多い。

そしていまや**機械学習による翻訳も、アマゾンのフライホイールの回転に寄与している。**サプライヤーがより多くの言語で販売できれば、顧客には選択肢が増え、アマゾンのサイトを訪れることも多くなる。

こうしてトラフィックが増えれば、サプライヤーはアマゾンでの販売にさらに力を入れて、より多くの商品をより安く提供することになり、ひいては顧客が増える。

人間の行動の多くは予測可能だが、嗜好などアルゴリズムが考慮できないものもある。それを埋め合わせるため、ベンダーマネジャーは自動化された「予測・交渉・発注」の監査だけでなく創造的な仕事もしている。

「ファッション分野については、シアトルのオフィスで表計算に取り組んで新しいトレンドを検出する能力を伸ばすよりも、ニューヨークやミラノ、パリのショーに出かけて最先端の流行を敏感に見つけ出すほうをとります」とウィルクは話した。「適材適所です。拡張性は計算エンジンから得られますが、直感と洞察は人間だけが提供できるものです」

ブームが起こったときも、小売業界はまったく予測できなくなるので、人間が機械学習を管理する必要がある。

「実際の世界やその生産物は、静的ではありません」とヘルブリッヒは話す。「ハンドスピナーは2016年にはなかったけれど、いまはあります。もしかしたら、2020年か2021年にはもうなくなっているかもしれません。常に、世界中の新しいものを把握する方法を見つけなければならないのです」

変化しつづけるアマゾンの仕事

ハンズオフ・ザ・ホイールのおかげで、**アマゾンの小売部門は現在、以前よりもずっと堅実で効率的に運営されている**。アマゾン・マーケットプレイスもこのコンセプトに沿って運営されていて、中間業者としてのアマゾンが販売を請け負うのではなく、アマゾンのサイト上にベンダーが直接リストアップされる。

いまではベンダーマネジャーという仕事の人気も少し下がって、多くのベンダーマネジャーがアマゾン内の別の職位に移った。リンクトインで新しい肩書を確かめたところ、多くは2種類の職種のどちらかにたどり着いていた。プログラムマネジャーとプロダクトマネジャーだ。

どちらも、アマゾン内で創意工夫を担当する仕事である。新しいことを構想し、実現までの面倒を見る。プロダクトマネジャーは個別の商品開発を担当し、プログラムマネジャーは複数の関連するプロジェクトにかかわることが多い。

リンクトインのデータによれば、この2つは現在アマゾン内でもっとも急速に増えている職位だ。クォンは「みんなこういう仕事を心から求めていたんです。それに、改革を評価してくれるクールなチームもね」と言う。

ティムも似たような職位の移り変わりについて話していた。

「ある分野の担当は2年前には12人いたけど、いまは3人だ。小売りで知り合った人のほとんどは、いまはプロダクトマネジャーかプロジェクトマネジャーだよ。もう主な小売部門には誰もいない。エンジニアでなければ、プログラムマネジャーかプロダクトマネジャーになるんだ」

小売部門の仕事を自動化することで、アマゾンは新しい変革の機会を開いている。ウィルクによれば、それはずっと前から計画されてきたという。

「こういうつまらない繰り返される仕事をしていた人たちは、いまや解放されて変革にかかわる仕事に就いています。機械には難しすぎる仕事にね」

2011年、アマゾンの値付け・プロモーション担当部長のディリップ・クマールは、小売部門からベゾスの「テクニカルアドバイザー」に移って、2年間ベゾスを補佐した。アマゾニアンたちのあこがれの職位であるテクニカルアドバイザーは、ベゾスの出るすべての会議に出席して、ベゾスの目でアマゾンを見る機会を得られる。そして、次に大きな仕事をする許可をもらえることが多い。

ベゾスの最初のテクニカルアドバイザーだったアンディ・ジャシーは、アマゾンのクラウドサービス部門「アマゾン・ウェブ・サービス（AWS）」を創設した。AWSは現在、ジャシーをCEOとして四半期に90億ドルを売上げている。

ベゾスのテクニカルアドバイザーの仕事が「いままでおそらく最高の仕事！」だったと述べているクマールだが、彼も任期が終わって次の大きな仕事に取り組むことになった。

クマールの古巣の小売部門では、プロジェクト・ヨーダによって彼の専門分野だった値付けとプロモーションが自動化済みだったため、彼は新しいことに自由に挑戦できた。

小売部門の同僚たちと協力して、クマールは「実生活での」買い物のもっとも面倒な部分を特定し、技術力でそれを改良する試みを始めた。その標的はレジだった。

そして、巨大な自動販売機コンセプトなどの試行錯誤を経て開発されたのがGOだ。

最高水準を求めよ

1兆ドル企業のCEOで何度も億万長者リストに載っているベゾスが、少しでも力を抜くときは来るのだろうか。

ベゾスは、世界一のEコマースビジネスと盛況なハードウェアビジネス、オスカーを獲得した映画スタジオ、巨大な企業向けソフトウェアビジネスを構築してきた。

もし彼が望めば、毎年小国のGDPと同程度の利益を出しながら、いまのビジネスを何十年も続けつつ、彼自身が25年前に起こしたような新規事業に挑戦の余地を残すこともできる。しかし、それがすぐに実現するとは思えない。

ベゾスの生きる喜びは仕事にある。特にインターネットで本を売る方法を考えていた1990年代に戻ったような気分にさせてくれる独創的な仕事にである。

成功を手にしたＣＥＯの多くにとって、よい人生とは個人所有の島で日々を過ごしたり、船で世界を周遊したりすることだ。ところが、ベゾスにとってのよい人生とは仕事であり、楽をするのは「耐えがたく、つらい衰退がきて、死にいたる」ことなのだ。

アマゾンのトップ陣は、心が求めるから働いている。

「私は変革したい、未知の領域にいたい、恐れと不安と興奮の入り混じった未知や、道をさえぎる障害を退ければ、すばらしい場所にたどり着けるという確信に結びついた感情を持ちたいのです」とウィルクは話して、次のように続けた。「そうやって人を前に向かわせるもの、それによって彼も進みつづけているんでしょう」

アマゾンが無慈悲で名高いＥコマース業界のリーダーであることと、アマゾンを率いる人々が、販売ノルマやウォール・ストリートの期待などよりも大きな力である「変革からくる高揚感」に突き動かされていることは、単なる偶然の一致ではない。

アマゾンが少しでも気を抜けば競争相手が参入して、もっとすばやく出荷したり、もっと安い価格をつけたり、よりよい購入体験を提供したりして、アマゾンのフライホイールが急停止してしまうかもしれない。

顧客が競合サイトに移って、トラフィックの増加によってそちらにサプライヤーが集まって、価格を低くできたり、より幅広い選択肢を提供できたりするようになり、結果的にもっと多くの顧客を引き寄せることになるかもしれない。そして引き寄せられる顧客は、いまのアマゾンの顧客なのだ。

「顧客が満足することはない」とベゾスは2018年のインタビューでそう話している。[11]「顧客はいつでも不満足で、常により多くを求める。競争相手をどれだけ引き離しているとしても、顧客には追いつけないいんだ。顧客はいつでもこちらに先んじている」

アマゾンの成長のもとになっているのは、ベゾスのこの危機感だ。それはまた、折に触れて従業員に信じられないほど大きなプレッシャーを与えて、努力しなければならないと感じさせる。

ベゾスのもう1つのリーダーシップ原則「**最高水準を求めよ**」は、この企業の求めるものを明確に語っている。「リーダーは容赦なく高い基準を設定する。これらの基準が不当に高いと思う人も多いだろう」

私が話したある元アマゾニアンは、アマゾンでの仕事を引き受けたとき、家族に「パパは戦争に行くんだ」と言ったそうだ。彼は会社の目標のために、感謝祭のディナーの間さえ働きつづけることになった。

アマゾンの元シニアマネジャーのサンディ・リンは、勤務当時、社内に出回っていたエピソードを教えてくれた。アマゾンの企業精神をよくとらえているジョークだ。

「アマゾンでは、あなたが水をワインに変えたら、まず最初に『どうしてシャンパンにしなかったんだ』と訊かれる」

ニューヨーク・タイムズの記事

このように高い水準を設定することで、アマゾンは暗に不健康で仕事中毒的な姿勢を推奨している。そして2015年8月15日に、**アマゾン文化の最悪の面が一般に公開されてしまった。**それは「アマゾンの内幕——熾烈(しれつ)な職場でビッグ・アイデアに取り組む」という見出しから始まる5000字のニューヨーク・タイムズの厳しい記事だった。[12]

アマゾニアンの間でいまだに「例のニューヨーク・タイムズの記事」と呼ばれるこの記事は、社員が繰り返し激しい批判にさらされ、専用のフィードバックツールを通して同僚を恫喝(どうかつ)することが推奨されている、熾烈で過酷な職場として、アマゾンを描いた。

年末年始や休暇中、週末を問わず、長時間労働を強制される。病気療養の後には「成績向上計画」に従って、個人的に問題があることを認めるか、辞めるように言われる。多くの人が不幸である。

記事の冒頭部分で、ニューヨーク・タイムズは元社員の「一緒に働いていた人は、だいたいみんな職場で泣いていた」という言葉を大々的に引用し、それはいまでもアマゾニアンの間でいろいろな意味で持ち出されるものになった。この記事が出たとたんに、アマゾンのサウス・レイク・ユニオン本社の電話がいっせいに鳴りだした。

「あなたは大丈夫？　ちゃんとやってる？」

元ベンダーマネジャーのエレイン・クォンは、ニューヨークの担当ブランドからそう心配された。またミカ・ボールドウィンは診療所で医師から、職場で泣いたことがあるかと訊かれた（彼は泣いたことはなかった）。

この記事が公になった後、アマゾンは情報源の信頼性をめぐってニューヨーク・タイムズと裁判で争った[13]。ウェブメディアのミディアムへの投稿「ニューヨーク・タイムズが言わなかったこと」では、アマゾンの上級副社長で元ホワイトハウス報道官のジェイ・カーニーが、みんな泣いているとニューヨーク・タイムズに話した元アマゾン社員を特に取り上げて糾弾している。

「彼はアマゾンで短期間しか働いていていない。ベンダーに詐欺行為をはたらき、ビジネス記録を偽造してそれを隠蔽しようとしたことが調査で発覚した」とカーニーは書いている。「証拠を突きつけると、彼はそれを認めてすぐに辞職した」

ニューヨーク・タイムズの編集者ディーン・バケットはそれに反撃した。[14]「記事中の彼の発言は、ほかの社員や元社員の証言と一貫性がある。他部署のほかの人々も、人前で泣いている人についてほとんど同じような言葉で話している」と、彼は同じミディアムに反論を書いた。ヘビー級の対戦で、どちらもパンチを入れたというところか。

この記事が世間の話題になった段階で、ベゾスは全社に電子メールを送った。[15]「私は、アマゾンはこんな会社ではないと思っており、諸君もそう思っていると期待している」と彼は書いている。「この描写のようなことがめずらしく、ほかに例のないものだとしても、このような共感の欠如を容認するようなことがあってはならない」

アマゾンは、この「ニューヨーク・タイムズ」の記事で描写されたようなシステムや組織、原則を変えてこなかったと言われつづけてきた。しかしこの記事が出た後、アマゾンは自社の問題への対応を始めた。

まず「コネクション」という日報調査を利用して、企業文化に改良が必要かどうかを調べた。この調査には次のような質問が並んだ。

・最後にマネジャーとワン・オン・ワン（一対一のミーティング）をしたのはいつか？
・マネジャーはX値原則を織り込んでいるか？（X値原則は2014年に北米のフルフィルメントセンターに最初に導入された）

この調査で集めたデータを使って、アマゾンは自社の文化についてのプロセスを走らせはじめた。

「アマゾンは『入力』と『出力』にこだわっている。出力とは、ニューヨーク・タイムズが記事を書いたことで、これはうれしくなるような出力じゃない。さまざまな入力があって、そういう出力になるわけだ」とある元社員は話した。

「入力とは」と、彼は説明する。調査が質問したちょっとしたあらゆる点のことだ。

「求める出力からさかのぼっていき、それを得るための新しいツールと新しいプロセスを発見しているというわけさ」

その後、アマゾンはいくつかの社内改革を行った。

まず、レビューのプロセスを簡略化した。以前は社員からの長ったらしい自己評価が必要だったのだ。この自己評価はリーダーシップ原則をめぐって構成されていて、時には12ページ以上にもなった。いまでは単に自分の「強み」をあげるだけでいい。

また昇給プロセスも簡略化された。以前は、最終的な決定権を持つ懐疑的な同僚たちの前で、候補者のレポートについて担当のマネジャーが防戦しなければならなかった。もしマネジャーが候補者のために戦いたくなかったり、ほかの社員のために政治力を使って戦ったばかりだったりすると、たとえ働きすぎでも昇給を逃す恐れがあった。

そこでアマゾンは、このプロセスを簡略化して、マネジャーがソフトウェアツールを通して誰かの昇給を申請できるようにした。

また「声に出して自己批判せよ」というリーダーシップ原則を捨て、そこに含まれる要素を「**信頼を勝ちとれ**」に変更し、新しい原則「**学び、好奇心を持て**」を追加した。

現在、アマゾンの平均在職期間はニューヨーク・タイムズの記事以前よりも長くなっていると、現職のアマゾン上級社員は言っていた。


心配した親戚や友だち、仕事相手からかかってきた電話や、医者からの質問は別にして、ほかの理由でニューヨーク・タイムズの記事をいぶかしく思ったアマゾニアンもいた。

その記事が指摘したことこそが、アマゾンに勤めた理由だったからだ。

私が話したほとんどのアマゾニアンは、仕事が忙しいことを予想しつつ入社した。

彼らは、自分が対処できると思うだけの責任を持たせてくれる会社、望むだけ一生懸命に働かせてくれる会社、自分のアイデアを実現させる能力があることを信じてくれる会社を望み、**そこでの仕事からもたらされるチャンスと挑戦を喜んで受け入れている**のだ。

アマゾニアンが辞めてグーグルやマイクロソフトに移るときは、同僚たちはその退職を祝ってくれる。

「あのニューヨーク・タイムズの記事で、職場で泣いている人について読んだとき、社内では『アマゾニアンじゃないだけだよ』『タフさが足りなかったね』と言っていた」とある元従業員は話してくれた。

「アマゾンのタフさは実際のところ、そこで働く人たちにとって魅力的でもあるんだ。別に無料のランチがほしいわけじゃないんだから。言っている意味がわかるかい？」

アマゾンが重視する出力

現職にせよ元職にせよアマゾニアンと話すと、いまやっている仕事自体よりも、ベゾスの下で働くことが今後どうなっていくのかのほうに、興味があるように感じられる。ベゾスの変革の文化のなかで生きることで、彼らは技術を活用して創造的になることを学んだのだ。

現在の社会には、**技術志向の人間は創造的に考えず、創造的な人間は技術的に考えないという思い込み**がある。片方にアーティストやミュージシャンをおき、他方にプログラマーや数学者をおく。右脳対左脳というやつだ。

しかしアマゾンでは、**ベゾスが両者を統合する方法を教えてくれる**。彼に後押しされてアマゾニアンは未来を想像し、SFを書き、プログラミングし、自動化し、次を想像する。だが、その過程で彼にたたきのめされてしまうこともあるだろう。

私が話したアマゾニアンの多くは、この技術的創造力を人生の次のステップで活用している。元シニアマネジャーのサンディ・リンは、オンライン教育会社「スキルジャー」の創設者兼CEOだ。この会社は2000万ドル以上の規模に成長している。

エレイン・クォンはEコマース用のソフトウェアとサービスの会社「クォンティファイド」の共同創業者兼業務執行役員である。彼女はいま、アマゾンがベンダーマネジャーとしての彼女の仕事の一部を自動化したのと同じような方式で、従業員の仕事の一部の自動化に取り組んでいる。

ミカ・ボールドウィンはシアトルを拠点とするベンチャー投資会社「マドローナ・ベンチャーズ」の一員として、このスタートアップを支えている。

ニール・アッカーマンは現在「ジョンソン・エンド・ジョンソン」でサプライチェーンを管理している。130年の歴史を持つメーカーにアマゾンのやり方の要素を導入するのが仕事だ。ラルフ・ヘルブリッヒは、2020年1月にドイツのEコマース企業「ツァランド」に参加し、アマゾンで行っていたように機械学習を同社に導入しようとしている。

一方、ジェフ・ウィルクはベゾスが退陣したら会社を引き継ぐ準備をしているが、それはもうしばらく待つことになりそうだ。[*訳注1]

そして、プレート・ビルディはいま現在も、アソシエイトたちを魅了するようにほほえみながら、アマゾンのフルフィルメントセンターを歩き回っていることだろう。

アマゾン本社の中には、ベゾスが従業員を鍛えている痕跡がそこら中にあった。

エコーやプライムNOWなどを発表するポスターには、それを実現させたチームのサインがあった。壁に貼られた大きなシークワーズ・パズルの中央には「変革」の一語が目立っていた。

スフィアと呼ばれている3連の大きなガラスの建物には、めずらしい植物が多数植えられた中に小さなワークスペースがたくさんあり、そこは創造力をかき立てる場所となっていた。

ベゾスが働く場所としてふさわしい「デイワン」と名づけられた本社ビルの１階では、アマゾン初のＧＯストアが営業中で、誰でも利用できる。

出入口を眺めていたら、とまどった旅行者が出てきて辺りを見回し、ベゾスがどうやってレジなしの買い物を実現したのかを見つけ出そうとしていた。

［＊訳注１］ウィルクは２０２１年３月にアマゾンを退社した。ベゾスは２０２１年２月に、同年第３四半期に会長に退き、ＡＷＳのＣＥＯアンディ・ジャシーを次期アマゾンＣＥＯにすると発表し、同年７月にＣＥＯを退任した。

第 2 章

マーク・ザッカーバーグのフィードバックの文化を探る

Facebook

よく晴れた月曜日の朝、13人のフェイスブック社員が、メンローパークのフェイスブック本社にある広い会議室に集まった。同僚を批判するという繊細な技術を学ぶトレーニングのためだ。

参加者たちはあいさつをかわしながら着席すると、恐る恐る講師に向き直った。彼らはマネジャー、一般社員、エンジニア、マーケティング担当などだ。このフィードバックのトレーニングを担当していた講師のメーガン・マクデビットは、小学校の教師からフェイスブックの学習開発パートナーに転職したという経歴の持ち主だった。

フェイスブックのフィードバック志向

「フィードバックを伝えることは、フェイスブックでは単なる推奨にとどまらず、義務なのです」とマクデビットは話した。改善できそうなことがあれば言わなければならない。そのために、自分の上司や相手の上司と不愉快な会話をすることになってもだ。

「あらゆる方向に向けたフィードバックを期待しています」とマクデビットは言う。「自分よりも上の立場の人に対してもです。フィードバックのためには、ヒエラルキーは二の次です」

それから4時間、参加者たちはフェイスブックにおけるフィードバックの伝え方の基本をたたきこまれた。

たとえば、誰かがプロジェクトの遅れの原因となったり、細かいところまで口を出しはじめたり、会議で意見を言わなかったりしたら、フィードバックが必要になる。

フィードバックをしてはいけないタイミングなどはない。フェイスブックでは、いつ誰を引きとめて「君にフィードバックがあるんだ」と言ってもかまわない。

フェイスブック社員の40パーセント以上が、このフィードバックのトレーニングを受けている。それによって、**社内にフィードバック志向が行きわたってきていた**。

フェイスブックは、研修専門会社の「バイタルスマート」方式でフィードバックを取り入れている。

そのフィードバックには「①事実を述べる」「②自分の意見を伝える」「③相手に質問をする」という3つの要素がある。

①事実

これは事態の客観的な描写だ。たとえば「最後に一緒に話したとき、あなたは2～3日以内には私の質問に答えると言っていました。それから2週間経っています」などだ。

②意見

これは、その事態がなぜ起こったかについて、自分で考えた筋道の説明だ。たとえば「仕事でずっと忙しかったのだろうとは思いますが、私のプロジェクトの方向性に不賛成だから返事をくれないのではないかと考えてしまいました」というようなものである。

③質問

これは解決に向かうための問いである。たとえば「わけを教えてくれませんか」などだ。

フィードバックのやりとりをシミュレーションするように指示されて、参加者たちは緊張した。ロールプレイであっても、相手の問題点を指摘するのは簡単ではない。私も参加していたが、最初のシミュレーションではいたたまれなさに穴を掘って隠れたくなったほどだ。

それでも練習を重ねるうちに、会話はだんだんスムーズになっていった。

神経をすり減らす1日の締めくくりに、マクデビットは参加者たちに向かって「今後は、難しいフィードバックをしていくことがあなた方の義務になります。できれば3週間以内に実践を始めてください」と告げ、しっかり書き留めておくように言った。

「積極的にフィードバックしろなんて、言われたことがありません」とある参加者が抗議した。

それに対してマクデビッドは「だから、いま言っているんです。これからはフィードバックを心がけてください」と答えた。「ここでいくら練習しても、実践していかなければ効果はありません。残念ながら、それは科学的に証明された事実です。だから、コミットメントが必要なのです」

会議室は不安げな笑いに包まれた。

しかしそれ以上の議論はなく、みな紙にペンを走らせた。

脆弱なフェイスブック

マクデビットが教えているのはフィードバックを伝える方法だが、この授業を受けると、フィードバックを受け入れることにも柔軟になれる。

トレーニングによって、フェイスブックではフィードバックが相手を打ち負かすためのものではなく、**相手に新しい視点を示すためのものであると理解できる**からだ。

フィードバックでは、問題点を議論する場合もあるし、誰かが「こんなアイデアがあるんだ。やってみようという理由はね……」と話すのを聞くだけのこともある。

多くの組織では、自意識や恐れが邪魔をしてフィードバックを伝えるのが難しい。しかしフェイスブックでは、このトレーニングに加えて、会社ぐるみのフィードバックへの取り組みがあるため、フィードバックがほとんど日常的なものになっている。**ザッカーバーグにとって、このフィードバックの文化はベゾスの「6ページ文書」と同じような機能を持つ。**従業員の心に、あらゆる同僚の言葉は聞く価値があるという信念を育むことで、フェイスブックのなかで新製品のアイデアが生まれるようにうながしているのだ。誰のアイデアでもかまわないし、それが直接ザッカーバーグ自身に伝えられることも多い。

このようなアイデア伝達の道筋があることは、テックジャイアントのなかでもっとも脆弱なフェイスブックにとって重要な意味を持つ。独自の人気OSを持たないフェイスブックには、自社製品への興味以外にユーザーを引きとめるものがない。もし興味を惹きつづけられなければ、縮小して終わりを迎えることになる。

若年層による利用率の低下から、アクティブユーザーによる「友だち」間でのシェア数の低迷まで、フェイスブックの不安定な位置づけを感じさせるようなニュースが数カ月に一度は報道される。

「フェイスブックは深刻な危機に直面している」とマーク・キューバンは言った。「フェイスブックは生きるために必須の存在ではない」。だからこそフェイスブックは生き延びるために、どんどん変革していかなければならないのだ。

2019年9月に再びメンローパークを訪れた私は、ザッカーバーグに再会して開口一番、フェイスブックが変革を止めたら何が起こるのかと質問した。我ながら率直すぎる質問だった。しかしザッカーバーグは笑い、しばらく考えた後で、例のごとく質問で返した。

「君はどう思う?」

「フェイスブックにとっては、実によくない事態だと思います」

「ああ、もちろんだ」

「それはもう、壊滅的でしょう」

「そもそも止めることなんて考えたこともない」と、ザッカーバーグはまだ答えを探しつづけていた。「おもしろい質問だな」

変革を速やかに量産するような企業文化を、フェイスブックにつくりだしたザッカーバーグにとって、止まる可能性を考えることなど無理な話だった。彼いわく、フェイスブックは製品ができ次第、**100パーセントできあがっていなくても、とにかく公開してフィードバックを受けながら改良していこうとしている。**

そのために、ザッカーバーグは社内でフィードバックを優先させてきた。もっとも外からのフィードバックは無視することが多く、フェイスブックが危機に陥るのは、いつもそれが原因だ。[*1]

フェイスブックという会社は変革し、改良し、さらに変革する。アマゾンはいつも「創業初日」だが、一方のフェイスブックは社内の合い言葉どおり、いつでも「完了度1パーセント」である。

「フェイスブックの『ムーブ・ファスト（すばやく行動せよ）』という言葉は、最近はよくないことだと受け止められている。それは『やりっぱなしで、その結果を気にもしない』と解釈されているからだ。でも、そんな意図はない」とザッカーバーグは話す。「もともとの意味は、できるだけ速く学ぶにはどうすればいいか、ということだ」

どんどん変革していくことは、フェイスブックにとって恵みであり、呪いでもある。その想像力と受容力は、ユーザーの疲弊からコンピューター製品の移り変わりまで、あまたの障壁を打ち破るなかで、常に重要だったのだ。

しかし同時に新しい製品をあまりに次々と打ち出しすぎて、コントロールできなくなったこともある。たとえば2016年の米国大統領選挙の前のように、製品の問題に対応するために「すばやく行動」しなかった場合は悲惨なことになる。

フェイスブックが存続するためには、新しいものを発表するだけでなく、現在のシステムの問題点を減らしていくことも重要となるだろう。

「向かおうとする方向をしっかり見ないで急いで進むことを繰り返せば、間違った方向に進んでしまう」とザッカーバーグは言っていた。彼には、その結末がよく見えている。

フィードバックの文化はどこから来たのか

ザッカーバーグのフィードバックへのこだわりは、彼の経歴に由来する。

ベゾスやピチャイ、ナデラとは違って、ザッカーバーグはフェイスブックのCEOになる前にほかの仕事をしたことがない。2004年にハーバード大学の寮の自室でフェイスブックを起業したとき、彼は会社運営の方法をまったく知らなかった。大学を中退してから、会社運営のプロに質問することで学んだのだ。

ワシントン・ポスト元所有者のドン・グラハムは、15年近くザッカーバーグの相談にのってきた。2人は2005年に、ワシントン・ポストで働いていたザッカーバーグの同級生を通して知り合った。初対面のとき「ザッカーバーグは収入と利益の違いも知らないようだった」とグラハムは話す。

若くて世間知らずで、当時のフェイスブックは社員がたった6人だった。しかし、会社が大きくなってもザッカーバーグはグラハムに連絡をとりつづけ、グラハムはフィードバックを熱心に聞く相手に喜んでアドバイスした。

グラハムはフェイスブックへの投資を申し出て（ほかにもっとよい投資家が現れたため取り下げた）、ついにはフェイスブックの取締役に加わった。

「マークは人の意見をよく聞く人間だ」とグラハムは言う。「アドバイザーのほぼ全員が反対しても自分の意見を押し通すこともたしかにあるが、強いこだわりを捨てて意見を変えた場面も多く見てきた。彼は人から学ぶことができる人間だ」

2006年にザッカーバーグはグラハムに電話して、びっくりするような頼み事をした。「めずらしく、向こうから電話してきてね。それで言うんだ。『会社が大きくなってきて、そろそろ僕がCEOになる段階になった。だから、いままで考えたこともないことを考える訓練が必要だ』とか、そんなことをだ。**『だから3日間あなたを尾行させてほしい』**って」

グラハムは回想する。「とても無理だと思った。そんなばかげた話は聞いたことがない。私はマークに、私のCEOとしての仕事は君のものとは全然違うはずだと説明した。それでも彼は『そうだとしても、僕はついて回りたいんだ』と主張した」

ザッカーバーグは本当にグラハムについて回った。陰に隠れて観察し、世界最大級の新聞社の仕組みを吸収した。

「うちの新聞の印刷工場に連れていったことがある。完全にアナログの経験だよ。古い技術さ。新聞が刷られてトラックに積み込まれているところなんて、まったく彼の世界ではない。でも、彼が見ていたのは人間関係だった」


ワシントン・ポストでグラハムについて回ってから2年後、ザッカーバーグがまた電話をかけてきた。今度の頼みは、もしグラハムがジェフ・ベゾスに紹介してくれるなら「**ベゾスの後もつけてみたい**」という話だった。

グラハムは彼の依頼をベゾスに取り次いだが、ワシントン・ポストへのお忍びの訪問から時を経てザッカーバーグの知名度はずっと上がっていた。のちにグラハムからワシントン・ポストを買収することになるベゾスは、電話口でこう答えた。

「なるほど、おもしろそうな話ではある。でもドン、もしマークが私について回っているのを見られたら、私の人生は完全に終わってしまうよ。それよりダメージが大きいのは、アンジェリーナ・ジョリーに尾行されることぐらいかな」

ベゾスとザッカーバーグは多少なりとも似ているかと聞くと、グラハムは「似ている」と断言した。**どちらも新しいアイデアにオープンで、アイデアが粗削りであってもかまわず、出所を問わないところが似ている**という。

「野球なら左中間を深々と破るような、とんでもないアイデアをジェフに持っていったことがある。ワシントン・ポストを買わないか、という話だ。そうしたら、なんの売り込みも必要なかった。悩みもせずに買うと決めたんだ。いままでの人生で考えたこともなかったはずなのに」

ザッカーバーグにいたるアイデアの道筋

ザッカーバーグは聞いて学ぶ人間だが、同時に決断力もある。

フィードバックの文化によって、人もアイデアもヒエラルキーにしばられなくなる。

しかし、ザッカーバーグはヒエラルキーのまったく存在しない組織を運営しているわけではない。彼が決断すれば、フェイスブックの全体がその方向へ進む。

つまりフェイスブックという会社は、**アイデアがザッカーバーグまで上がってくる道筋を中心に動いている**といえる。そして、アイデアが彼に届く道筋は4種類ある。

「金曜日のQ&A」と、社内向けの「フェイスブックグループ」「ザッカーバーグの側近の人々」、ザッカーバーグによる「製品レビュー」だ。

フェイスブックの**金曜日のQ&A**は、2005年に1室きりの小さな会社だったころにさかのぼる。当時は単に「金曜日の集まり」と呼ばれていた。

「中華料理をテイクアウトしたりして、くつろいだ雰囲気でした」と話すのは、フェイスブックでもっとも古株の社員で製品管理担当部長のナオミ・グレイトだ。

現在では、Q&Aは本社の広いカフェテリアで開かれ、ライブ配信もされていて、司会者が取りしきる。

ザッカーバーグは、Q&Aを利用して会社の雰囲気を知る。

フェイスブック人事部門長のローリー・ゴーラーによれば、ザッカーバーグは「みんなが何を考えているのか、何が気になっているのか、どんな疑問を持っているのか、どんな調子か」が知りたいのだという。

Q&Aでは、会社が次に創造するものについて、誰でもアイデアを出すことができる。「たとえば製品戦略について質問するとします。質問の途中で『この製品についての私のフィードバックは……です。製品戦略の観点からはどう考えますか』と言えばいいのです」

また、フェイスブックには社内向けの**フェイスブックグループ**が何百もあり、社員はそこでいつもチャットをしている。製品について話し合い、ほかのチームに質問し、経営陣の仕事ぶりを評価する。これらのグループは、アイデアがザッカーバーグやその補佐役にまで届く道筋になっていて、彼ら自身が口火を切ったり話し合いに参加したりもする。

この社内向けソーシャルネットワークに商業的価値を認めて、フェイスブックはワークプレイスという製品を開発し、現在ではウォルマートやドミノピザ、スポティファイなどの企業で導入されている。

ザッカーバーグの側近も、彼にアイデアを届かせるために大きな役割を果たしている。彼は、歯に衣着せず真実を告げてくれる人を周囲に集めようとしている（それが常に成功しているわけではないが）。

フェイスブックの経営陣は、ペンシルベニア大学ウォートン校のアダム・グラント教授の著書『ＧＩＶＥ＆ＴＡＫＥ――「与える人」こそ成功する時代』（三笠書房）を信奉している。

この本は人間を、「愛想のよいギバー（他人に利益を与える人）」「気難しいギバー」「愛想のよいテイカー（自分の利益を優先させる人）」「気難しいテイカー」の４種類に分類している。この分類はわかりやすい。愛想のよい人は好かれるし、気難しい人は嫌われる。ギバーは会社に貢献するし、テイカーは会社から利益を得る。

「フェイスブックの上層部には愛想のよいギバーはいない」とグレイトは言った。「マーク自身も、私たちリーダーシップチームもいつも言っているとおり、組織にとってもっとも価値があるのは気難しいギバーです。わが社では実際にそういう人が社内にとどまるように努めています。そういう人は、こちらが聞きたいと思うことだけを言ってはくれません。自分が本当に思っていることを言うんです」

だから、口うるさいベンチャー投資家のピーター・ティールが、フェイスブックの取締役になっているわけだ。

「ピーターは反対意見ばかり言うから、彼が取締役会にいるのが気にくわない人は多いし、マークも実はそうなんだ」と話すドン・グラハムは、何年間も取締役会でティールと同席していた。「ピーターが取締役になったのは、かなり初期から投資していたからだ。でもマークがピーターにずっといてほしかったのは、マークの気に入らないアイデアを声を大にして推すからだ」

まだ35歳のザッカーバーグは周囲から多くを学ぼうとして、自分よりも経験を積んだ人ばかりを側近にしている。シェリル・サンドバーグも、その1人だ。

23歳のときに、ザッカーバーグはフェイスブックのビジネスを成長させる手伝いをしてくれる人が必要だと考えて、サンドバーグに声をかけた。

当時、サンドバーグはグーグルのグローバル・オンラインセールス&オペレーションズの担当部長で、クリントン大統領時代のホワイトハウスで働いた経験もあり、シリコンバレーのほかの会社からCEOにならないかという申し出を受けていた。

それまでフェイスブックの全権を握っていたザッカーバーグは、サンドバーグを取締役に迎えて、広告と企画、業務部門の管理を任せたいと提案した。

実はグラハムは、クリントン大統領の辞任後にサンドバーグにワシントン・ポストでの職を提供しようとしたことがあって、彼女の知り合いだった。そのためサンドバーグは、グラハムに連絡して事情を確かめてから、フェイスブックに参加した。それ以来、ずっと同社のCOOだ。

サンドバーグはフェイスブックが何十億ドルものビジネスに成長する力になってきた。彼女がいなければ、この会社は現在のような姿にはならなかっただろう。

しかし彼女は、同社の最近のスキャンダルの主役にもなった。ユーザーたちがフェイスブックを信用していないのは、ひとつには彼女の率いる広告販売チームがやたらとデータをほしがるからだ。

また、彼女の率いるチームが2016年の大統領選挙中にロシアに対して政治広告を販売したことは、いまだにテック産業の歴史におけるもっとも不可解な決断の1つとされている。サンドバーグが同社のフィードバック講座の設立にかかわったことを考えると、彼女の会議室の名前が「オンリー・グッド・ニュース（よいニュースだけ）」なのは妙な話だ[1]。

ともかくサンドバーグがフェイスブックの運用などのビジネス面を担当しているので、ザッカーバーグは新しい製品やサービスの創造に集中できる。


ザッカーバーグはプロダクトマネジャーたちとの会議に午後のかなりの時間を費やして、彼らの**製品をレビュー**し、何を追求すべきかを決断している。そしてプロダクトマネジャーからのフィードバックは、フェイスブックの方向性を決めるために大きな役割を果たしている。

「ザックは、少なくとも社内では他人の影響を受けやすいという評判だ」

フェイスブックの元取締役で『フェイスブック――不屈の未来戦略』（TAC出版）の著者であるマイク・ホフリンガーはそう言っていた。

ソーシャルネットワークというビジネスはいまだに確立されたものではなく、コンピューター技術の移り変わりに大きな影響を受けるため、フェイスブックにはフィードバックの文化が不可欠なのだ。

フェイスブックの「創業初日」精神

2011年、フェイスブックは問題を抱えていた。同社はパソコン用のウェブサイト構築には注力してきたが、モバイルアプリはバグが多く低速で、使いものにならなかった。その当時、インターネットへのアクセス手段として、パソコンよりもモバイルデバイスのほうが一般的になりはじめていた。ユーザーがスマートフォンを利用する時間が多くなったため、モバイルアプリが使いにくいフェイスブックはユーザーの関心を失い、時代に合わなくなりつつあったのだ。

フェイスブックアプリが放置されていたのは主に、同社がモバイル向けの開発に適応することを拒んだからだった。パソコン向けのウェブサイトを構築する場合は、**フェイスブックは新機能をすぐにリリースし、利用データを参照し、改善しては再度リリースした。**新しいバージョンを読み込むためにはそのページを再読み込みするだけでよかったので、1日のうちに何回でもサイトをアップデートできた。

しかしモバイルアプリの場合は、iOSやアンドロイドの長ったらしいレビュープロセスを受けなければならず、リリースやアップデートの自由度がずっと低かった。

モバイルアプリの利用率が高くなると、ザッカーバーグは、パソコンでのやり方をモバイルに押しつけようとした。モバイル向けウェブサイトをつくってiOSやアンドロイドから利用するための「ラッパー」を追加したのだ。ラッパーによって、ウェブサイトをアプリに見せかけてアプリストアに表示しつつ、1日に何回もアップデートできた。

だが、**この混ぜこぜの製品は性能が低かったので、誰かがザッカーバーグの考えを正さなければならなかった**。その誰かが、コーリー・オンドレイカだった。

ある金曜日のQ&Aの後、モバイル・エンジニア担当副社長のオンドレイカはザッカーバーグに、フェイスブックがモバイルで成功するためには、やり方を考え直す必要があると提案した。

古いやり方を温存するよりも一から構築し直して、それぞれのOSで動くプログラムをつくったほうがいいと意見したのだ。

そのためには、フェイスブックがこれまでのようにひんぱんにはアップデートできなくなるという事実を、ザッカーバーグが受け入れなければならない。しかしきちんと動けば、フェイスブックアプリにもチャンスができるはずだ。

「現在のやり方ではうまくいかないから、それを変える必要があると彼に話しました」とオンドレイカは語った。「変化は非常に難しいものですが、新しい方式はうまくいくと私にはわかっていました」

ザッカーバーグはオンドレイカのアイデアを気に入って、小さなチームでの実験的なモバイル専用アプリの開発を任せた。数カ月後には、オンドレイカの試作アプリはフェイスブックの既存のウェブベース・アプリよりも性能が高くなった。

それをレビューしたザッカーバーグは事実には逆らえず、**全社をあげてモバイル専用アプリ構築の方向にかじを切ることになった。**

ザッカーバーグによれば、「最初のうちは『その話は本当か？ もうちょっと、しっかり検証してみたほうがいいんじゃないか』と思っていた。でも時間が経つにつれ『なるほどそれが本当なら、会社の計画をまさに劇的に変えることになるし、いますぐ進める必要がある。どうすればいいか考えようじゃないか』と思うようになった」という。

モバイル専用アプリの構築は、フェイスブックのやり方を大きく変えた。同社は新機能をリリースするペースを、1日に複数回から2カ月に1回に変更した（ただし、この間隔はだんだん短くなり、現在はほぼ元に戻っている）。

それまでモバイルアプリの開発者は採用していなかったので、専用アプリの開発者を雇用することも考えなければならなかった。社内のエンジニアにも、専用ＯＳ向けのトレーニングが必要だった。

そして２０１２年８月、フェイスブックはウェブベース・アプリよりも高速でバグが少ないｉＯＳ専用アプリをリリースした。[2] その４カ月後にはアンドロイド用アプリも開発された。アプリのつくり直しで、揺らいでいたフェイスブックの足元はかなり固まったが、オンドレイカの仕事はまだ終わりではなかった。

モバイルアプリの開発中に、オンドレイカはザッカーバーグにさらにフィードバックした。フェイスブックのユーザーがモバイルをどんどん導入していて、モバイルアプリの使用率が右肩上がりであることをグラフを使って説明したのだ。

これまで以上の変化が必要だった。

「それはモバイルの使用率の増加が、今後だんだんスピードアップしていくことを予測するグラフだ。『そんなふうになるはずがない』と言いたくなるような予測だった。

でもその曲線と多少なりとも近い経過をたどるとしたら、すぐにモバイルが全体の半分以上になってしまう」とオンドレイカは言った。「実際は予測を上回るものだった。モバイルへの移行は、私の描いた信じがたいグラフよりもさらに急激だった」

このグラフを見せながらオンドレイカは、ザッカーバーグに向かってフェイスブックのモバイル専門チームを解散して、会社全体でモバイル開発をするようにとアドバイスした。ザッカーバーグはその意見をすぐに受け入れた。プロダクトマネジャーたちに、今後はモバイル機器でのデモ以外は提出を認めないと通告したのだ。パソコン用のデモしか持ってこなかったら、ザッカーバーグのオフィスからたたき出される。

それは、**フェイスブックにとっての大きな転機だった**。そして同社のモバイルアプリの利用は劇的に増え、現在ではフェイスブックの広告収入の90パーセント以上がモバイルからのものとなっている。[3]

フェイスブックのモバイルへの移行については、ザッカーバーグが突然ひらめいて、同社をスマートフォン時代に向けて見事に再編したと言い伝えられている。

しかし、これは事実とはかなり異なっている。

実際には、ザッカーバーグが用意したのはフィードバックの文化なのだ。彼にアイデアをもたらすのは、フィードバックの文化を取り込んだ従業員たちである。

時には、会社のやり方を考え直さなければならないほどの厳しいアイデアもある。フェイスブックを破滅から救ったのは結局のところ、そういうアイデアだった。

ブロードキャストからプライベートへの変革

フェイスブックはモバイルへの移行を生き抜いたが、数年後にまた別の危機が訪れた。フェイスブックのもっとも大事なコンテンツであるニュースフィードが、ユーザーにあきられてきたのだ。

初期のフェイスブックでは、ニュースフィードは生き生きとして活気にあふれ、わくわくする存在だった。ニュースフィードには、パーティーでのどんちゃん騒ぎの写真から、友だちや知り合いが近況報告をおもしろく書こうとした（そして失敗した）笑える文章まで、あらゆる情報があった。

しかしフェイスブックが大きくなり、モバイルでスムーズに動作するようになったことと相まって、ニュースフィードは変わってしまった。ユーザー間のつながりがどんどん増えて、ユーザーの「友だち」ネットワークは、本当の友だちの「小さな輪」から、**これまで出会ってきたほとんどすべての人が入り混じる「大集団」になった。**

ネットワークが大きくなると、ユーザーは「自主規制」を始めた。ほとんど知らない人もいるような場所に向けて、自分のすべてをあからさまに伝えたくないからだ。

ユーザーのネットワークが拡大すると、ニュースフィードのアルゴリズムが投稿の優先度を計算する対象も大幅に増える。フェイスブックはエンゲージメントの高い投稿を優先的に表示するため、婚約や結婚、出産といった人生の最良の部分ばかりがニュースフィードに並ぶようになった。

そういう人生の節目の記事満載の場所で、普段着の投稿をする人はますます減った。不真面目だと思われたら困るからだ。その結果、2015年にはユーザーからのフェイスブックへの投稿数が減って、**ニュースフィードは昔の思い出をつづったアルバムのようになってしまっていた**[4]。

フェイスブックの経営陣はこれを重要な問題であると考えて、改善に取り組みはじめた。フェイスブックアプリの責任者フィジー・サイモによれば、「ニュースフィードは、以前よりプレッシャーが大きい場所になっているようでした。調査対象のユーザーたちは『2年前より書きにくい感じがする』と言っていました。改革しなければならないという警告そのものです。解決策が必要でした」という。

時代に追いつくために、フェイスブックは時計を巻き戻さなければならなかった。ユーザー数が15億人を超えたフェイスブックでは、個々のユーザーがもっと小規模な絞りこまれた対象だけに向けて投稿できる仕組みが求められていた。[5]

フェイスブックは、再びすべてを変える必要に迫られたのだ。

フェイスブックの変革のひとつは自然に実現した。

「友だち」すべてに向けては記事を投稿したくないユーザーたちが、共通の興味を持つ人限定のネットワークである「グループ」で投稿するようになりはじめたのだ。

たとえば子供が生まれた人が子育てについて質問するには、「友だち」全員よりも子育てグループに聞くほうが気楽だ。だからグループが選ばれた。

「2015年から16年にかけてグループが大人気になりました」とサイモは振り返る。「でもそれは、単純な機能追加が軌道にのったというだけでした。会社側は特に目玉だと考えていませんでしたが、ユーザーが不思議なくらい前向きに受け入れたんです」

グループへの参加者が毎月1000万人ずつ増えるようになって、フェイスブックはグループを強く売り出しはじめた。[6] そしてグループ作成用の新ツールをつくり、グループへの参加を「有意義」なものにするという社内目標を掲げて、広報でもグループを売り物にするようになった。

グループへの投稿は、そのグループに参加しているユーザーのニュースフィードに表示されるので、ニュースフィードの活気も多少回復し、フェイスブックは再び気後れせずに投稿できる場所になったのだ。

「グループによって、明らかにアプリとニュースフィードの利用率が上がりました」

ニュースフィードはグループによって魅力を取り戻しはしたものの、フェイスブックに欠かせない、友だちや家族の間での気軽な投稿のやりとりができないという問題は、まだ手つかずだった。

そしてその種の気軽なやりとりは、ほかの場所で行われるようになりはじめていた。

シリコンバレーで一番中国っぽい企業

フェイスブックがニュースフィードの問題を解決しようとしていたちょうどそのころ、スタンフォード大学出身で自信にあふれたエヴァン・シュピーゲル率いる新興のメッセージングアプリ「スナップチャット」が、ストーリーズという機能をリリースした。

これは、友だちとシェアした写真や動画が1日で消えるというものだった。

気楽に投稿できるストーリーズ機能が人気となって、スナップチャットの利用は爆発的に増えた（一方のフェイスブックは投稿は友だち全員に送られ、消えずにずっと残る）。

シュピーゲルは以前、ザッカーバーグからの30億ドルの買収提案を断ったことがあったが、また彼の痛いところを突いてきたのだった。

ソーシャルメディアとは、あるプラットフォームの利用時間中はほかのプラットフォームを利用していないことになるというゼロサムゲームだ。シュピーゲルはエネルギッシュにユーザー数を増やしていき、その会社の上場が話題になった。

スナップチャットが売れだしたところ、マイケル・セイマンという18歳のエンジニアがフェイスブックに加わった。セイマンのつくったゲームがザッカーバーグの目にとまり、2015年にフルタイムのエンジニアとして雇用されたのだ。

入社オリエンテーションで、フェイスブックのトップは誰のアイデアにも耳を貸すという話を聞いて、セイマンはそのメッセージを心に刻んだ。「その話を信じたんだ」と言う彼は、オリエンテーションが終わるまでにプレゼンテーションをつくり上げてしまった。

それは、すでにスナップチャットに流れつつある10代のユーザーについて彼らがどんなふうにテクノロジーを使っているのか、どうすればフェイスブックが彼らに向けた機能をつくれるかを説明していた。

やっと宝くじを買える年齢になったばかりのセイマンは、フェイスブックの幹部に向けてプレゼンテーションをして、すぐにザッカーバーグの前に立つことになった。

だが彼の提案は当初、ザッカーバーグの目にはとまらなかった。

そこでプロダクト部門長のクリス・コックスが、少人数のチームをセイマンに任せて実験するようにザッカーバーグを説得した。

「詳細な計画なんてなかった」とセイマンは話す。「いくつかアイデアがあって、みんなが僕に創造力を発揮させてみようと考えて、創造するためのメンバーを与えてくれて、それで問題なしだった」


セイマンが見るところ、時間が経つにつれて彼と同年代の10代の若者たちはフェイスブックよりも、スナップチャットを使うようになっていった。

セイマンはスナップチャットのストーリーズ機能に注目し、これをフェイスブック製品に組み込むべきだと考えた。

「会社に、スナップチャットが存在にかかわるほどの脅威だと感じてほしかった」と彼は言う。「フェイスブックにパニックになってほしかったんだ」

ザッカーバーグは、ほかからもセイマンの懸念と同じような話を聞いていたが、10代の代表としてセイマンは彼にとって貴重な存在だった。**セイマンは、ザッカーバーグがスナップチャットの文化を学ぶ手伝いができた**のだ。

ザッカーバーグいわく「セイマンが『これが僕のフォローしているメディアだよ』とか、『これが影響力があってクールだと思う人たちだよ』と教えてくれたら、フォローしたり、その人たちと話してみたり、こちらに招いたりした。大事なことをたくさん学べたよ」

ザッカーバーグは、こういうトレンドセッターをインスタグラムでフォローしていると言い、スナップチャットのユーザーになっていることも認めた。

「あらゆる機能を試してみる。自分がうまくやれていないことについて、それを言ってくれる場所だから、たくさんの学びがある。相手が何を探しているかを理解することにさえ気をつければ、みんなたくさん話してくれる」

ザッカーバーグは実験的な精神のおもむくまま、意外な場所にもあちこち出没してきた。「フェイスブックで公式の出会い系サービスをつくろうと考え出したときは、あらゆる出会い系サービスに登録した」と彼は言う。「妻のプリシラに、毎日1人とマッチングするアプリを見せた。『こんなアプリがあるよ』って言ったら、『私は明日の夜、彼女と一緒に夕食をとる予定よ！』と言われた」という。

彼は妻の友人とマッチングしていたのだ。その夕食がどうなったかは聞かなかったが。

セイマンは、ザッカーバーグが熱心にスナップチャットを学んだことを認めた。

「彼がスナップを送ってきて、僕はそれにダメ出しをした。『マーク、違うよ。そんな使い方じゃないよ』ってね」

最終的に、フェイスブックでストーリーズ機能をサポートしようというセイマンたちのアイデアは、ザッカーバーグにまでたどり着いた。フェイスブックの経営陣にオフィスに呼び出されたメンバーたちは、インスタグラムのストーリーズという新機能について発表した。

この機能はあらゆる点でスナップチャットのストーリーズにそっくりだった。当時のインスタグラムCEOのケビン・シストロムは、「テッククランチ」のインタビューで「すべてシュピーゲルと彼のチームの功績だ」と認めたほどだ。

ストーリーズを模倣したのは非情な策略だった。そのせいでスナップチャットの成長は大きく阻害されて、親会社のスナップは何億ドルもの損失を被り、本書執筆時点で株式は上場価格以下で取引されている。妨害されて弱体化したスナップは現在、フェイスブックの反競争的方策について、連邦取引委員会に独占禁止法に関する調査を申し入れている。そのために用意された一連の書類は、ハリー・ポッターの悪役にちなんで「プロジェクト・ヴォルデモート」と呼ばれている[7]。

不正な悪党かどうかはともかく、フェイスブックはストーリーズがあったからこそ深刻な状況から抜け出せた。ストーリーズは、数年前には激減していた友だちや家族間での投稿のシェアを取り戻し、フェイスブックのアプリに多様性をよみがえらせた。

eマーケッターによると、フェイスブックは現在でも毎年3パーセントずつ10代のユーザーを失っているという。しかし、**ストーリーズとメッセージングの新しい使い方**（仲間うちで投稿を共有するもう1つの方法）**がなければ、フェイスブックはもっと悪い状況になっていたかもしれない**。模倣したのは自衛本能の表れだったのだ。

セイマンは、フェイスブックには自社の立ち位置を正しく認識する能力があると言う。「フェイスブックはインターネット・アプリにすぎない。特に2015年から16年にかけては、まさにそのとおりだった。次にどんなアプリが出てきて負けるかもしれなかった。マークは『みんながほしいものはなんだ？ それを与えればいいじゃないか』と言った。その一方で彼はけっこう慎重だったし、意外と用心深かった。明らかに自分の製品が永遠だとは考えていなかった」

中国のベンチャー企業家の李開復は自著『AI世界秩序』(日本経済新聞出版社)のなかで、中国では長いこと製品の複製や模倣が一般的になってきたが、フェイスブックはそのような中国で「シリコンバレーで一番中国っぽい企業」として有名だと書いている。

李がベイエリアに訪問したときに会ったので、ザッカーバーグに対する気持ちを教えてほしいと頼んだところ、「どうして模倣を悪いことだと考えるのだろう?」と言った。

「なんでもまずはまねをして学ぶではないか? 音楽はモーツァルトやベートーベンをまねして覚えるのではないか? アートは教えられたスタイルをまねして学ぶのではないか? 模倣を通して人は自分のつくっているものの真髄を理解して、革新を起こし、新しいものをつくれるようになる。何かを始める方法として模倣は理にかなっていると思えるね」

フェイスブックは最初に模倣して以来、ストーリーズの改良を繰り返した。フェイスブックのストーリーズはいまや、スナップチャットのストーリーズよりも、よいものだと思われるようになった。フェイスブックの加えた改良の出来がよかったため、スナップチャットが逆にまねをしたこともある。

消えていったソーシャルネットワークの墓場には、かつては向かうところ敵なしであってもプライドを捨てきれなかったり、変革ができなかったりして、最期を迎えた企業の屍(しかばね)が折り重なっている。マイスペース、ライブジャーナル、フォースクエア、フレンドスター、タンブラーなどだ。

一方でフェイスブックは、何度も再生してトップに君臨しつづけている。それは大部分において、同社のフィードバックの文化によるものだ。

「自分自身が天才で最初から変革できれば、それが一番だ」と李は話した。「でもそれが無理なら、まず模倣して、それを繰り返すべきだ」

機械学習の導入

2012年のはじめ、2人のイスラエル人企業家ギル・ヒルシュとイーデン・ショハットがフェイスブック本社を訪れた。彼らの会社フェイス・ドット・コムは、フェイスブックの「タグ付け提案」の機能向けに、顔認識技術のライセンスをフェイスブックに提供しており、メンローパークで会合したいという申し入れを受けたのだ。

この「タグ付け提案」の機能は、写真に誰が写っているかを認識して、写真にタグ付けするようにユーザーに提案するもので、現在でも使われている。

会議室に通された2人は、フェイスブックの製品チームと会うことになっていた。少なくとも当人たちはそう思っていた。ところが、驚いたことに入ってきたのはザッカーバーグ本人で、座るなり質問を浴びせかけてきた。

当時のフェイスブックは、タグ付け提案機能を自前で構築できなかった。写真の顔認識には、フェイスブックにはない機械学習の専門知識が必要だったからだ。

一方でヒルシュとショハットはコンピューター・ビジョンを見事にフェイスブックの製品に適用していたため、ザッカーバーグは2人の仕事について学びたがっていた。

「ザックは最初から興味津々だった」とショハットは話した。「彼はそこで何かおもしろいことが進行中だとわかっていて、そういう技術をよく知りたがったんだ」

それから90分間、ザッカーバーグはヒルシュとショハットに、コンピューター・ビジョンと顔認識の今後について根掘り葉掘り尋ねた。

そして会話の終わりになって、話題は買収の件に移った。去り際のザッカーバーグのセリフは「当然、この話は実現させるべきだ」というものだった。その6カ月後、フェイスブックはフェイス・ドット・コムを5００万ドルを超える金額で買収した。[8]

フェイス・ドット・コムの技術を学んだ**フェイスブックのエンジニアたちは機械学習の可能性を知り、このテクノロジーに長期にわたって多額の投資をする方針が決定された。**

それにともないザッカーバーグは、世界でも指折りのＡＩ研究者のひとりヤン・ルカンの勧誘を始めた。

２０１３年春、ザッカーバーグは提案書を手にルカンを訪れた。誘い文句はこうだった。フェイスブックに加わってほしい。そうすればＡＩ研究室をつくるので、フェイスブックでのＡＩ技術の応用をときどき手伝ってくれさえすれば、後は心のおもむくままにＡＩの研究ができるようになる。

ニューヨークに住んでいたルカンは、引っ越さずにそのままニューヨーク大学での教職も続けていいのなら加わろうと答えた。ザッカーバーグは同意して、ルカンと契約を結び、**フェイスブックは一夜にしてAI初心者からAI研究で世界一の座におどりでた。**

「この20年間に、ＡＩでのちに残るような仕事をしてきたのは3〜4人です」と話すのは、同時期に入社したフェイスブックのＣＴＯマイク・シュロープファーだ。「わが社はそのひとりヤン・ルカンを獲得できたのです」

この一連の動きの総仕上げは、ケンブリッジ大学の機械学習コースで教えた経験のある研究者ホアキン・カンデラが、フェイスブックの広告部門に加わったことだ。彼は専門知識を活用して、人々が広告をクリックするタイミングを予測することになった。

カンデラはそれまでの仕事も好きだったが、フェイスブックでの仕事は彼のような経歴の人間にとって新たなチャンスだった。一方のフェイスブックでは、ルカンの研究を製品に応用できる人材が必要で、カンデラはその要求にぴったりだったのだ。

そして2015年の秋にカンデラは、ルカンの研究を実現するために新設された応用機械学習部門の部長に任命された。

私がはじめてカンデラに会ったのは、彼がその役職に就いてから1年も経たない2016年6月のことだった。彼はこちらをまっすぐ見つめて言った。

「いまやフェイスブックはAIなしには存続できません」

当初、私はその言葉を信じなかったが、それから数年後のいまでは信じている。**AIがなければ、フェイスブックはその製品を支えるために必要な、膨大な量の実務ワークを管理できないだろう。**フェイスブックのライブ動画サービスがそのいい例だ。

2015年12月、ザッカーバーグの製品チームはライブ動画機能を発表した。[9] これは、ボタンを押すだけでフェイスブック上でライブ動画を流すことができる機能だ。この機能はフェイスブックに動画を投稿することを以前より簡単にして、新しくて多様なコンテンツの可能性を開いた。

動画投稿がもたらした重大問題

サービス開始初期のライブ動画には、女性がチューバッカのお面をつけて大笑いしているだけといった楽しいものもあったが、一部に悪質な投稿が交じるのも避けられなかった。ライブ動画が始まってからいくらも経たないうちに、私はバズフィードのニュースルームの同僚から、この新機能の行く末を心配する言葉を聞いた。

「そのうち、人が撃たれるところが配信されるだろうよ」

その心配はすぐに現実のものになってしまった。

フェイスブックでライブ動画が始まってたった3カ月後の2016年2月、フロリダ在住の女性ドネーシャ・ガントが車内で撃たれた後、フェイスブックで次のような動画を配信したのだ。[10]

「撃たれたのはわかっているけど、それはいいの。それはかまわない。神様は私のすべての罪をおゆるしくださる。神様はすべてをおゆるしくださる」

ガントの銃撃以降、フェイスブックのライブ動画で露骨な暴力シーンが配信される問題が月に2回は起こった。[11] 殺人、レイプ、児童虐待、拷問、自殺が、すべてこのサービス上で動画配信された。

こういった動画は人間のおぞましい好奇心を刺激して、あっという間に拡散される。自殺のライブ配信は特に問題が大きく、フェイスブックの若い世代での人気と影響力を考えると、**同じ方法での自殺を誘発することが危惧された。**

私がはじめてザッカーバーグに会ったのは、これらの問題が注目されるようになったころだ。そのとき彼が準備していた5700語の「マニフェスト」には、フェイスブックにおける介入を強める計画が含まれていた。すなわちユーザーをヘイトスピーチやテロリズムの促進、露骨な暴力、いじめから守るための介入を強化するということだった。

問題のある内容を人力で報告・レビューするのでは、大した量は処理できない。

「現行のシステムは、誰かがコンテンツを我々に報告する仕組みだ」と彼は言った。

「我々は1カ月に1億件以上という大量のコンテンツをレビューする。この内容チェックのために大人数のチームをつくってきた。

しかし、フェイスブックには毎日何十億件も投稿がある。どれだけ大勢雇ったとしても、コンテンツを十分監視することが物理的に可能になるとは思えない。これを実現する唯一の方法は、人工知能ツールをつくることだ」

ＡＩが投稿に積極的にフラグをつけたり、投稿をレビューしたりできるというザッカーバーグの考えは、理論上だけのものではなかった。彼はすでに、カンデラのチームにその方法を見つけ出すように指示していた。

ＡＩ活用で人間に力を与える

フェイスブックは、ほかにないほど膨大な人間行動のデータセットをもっている。私たちが誰で、何が好きで、何をするか、うまくいかないことがあったらどう行動するかを知っている。

このデータセットは、アマゾンの25年分の購買データの集積と本質的に同じだ。アマゾンが機械学習システムを通してデータを検索し、私たちが買おうとするものを見つけ出せるのと同じように、フェイスブックはそのデータを機械学習システムを通して検索して、誰かが暴力や自傷の動画を配信しようとしたら見つけ出すことができる。

これらのシステムについての話のなかで、ザッカーバーグはＡＩはまだこの仕事を単独ではできないと留保した。

「目標は、人間に力を与えることだ」と彼は言う。「ＡＩに夢を持ちすぎていると、コンピューターのシステムがこういうことをすべてやってくれると考えてしまう。ＡＩシステムが実現しても、それは完璧なものではなく、欠点もあるだろう。実際に近いうちにできそうなのは、見つけた問題を人間に報告してくれるぐらいの性能といったところだ」

インタビューの時点で、フェイスブックのＡＩシステムはすでに、ザッカーバーグが捕捉してほしいと話したような問題の一部を積極的に検出して、そのコンテンツをレビューに回すようになっていた。

ＡＩシステムの導入にともなって、フェイスブックの「モデレーター」の仕事はアマゾンのベンダーマネジャーのように監査になった。

フェイスブックのＡＩは人間よりも多くのコンテンツを見て、介入が必要かを決定できる。そしてモデレーターに回す投稿の順番を計算して、対応の必要性が高い投稿を上位に回す。それからモデレーターがこの投稿をレビューして、ＡＩが正しく判断したかを決める。

ＡＩシステムが効果的に働くためには、入力を正しいものにしなければならない。カンデラのチームは、フェイスブックのＡＩチームが正しい入力をするためのツールを追加した。「コーテックス・アンド・ロゼッタ」というこのツールは、フェイスブック社員が探したい投稿の種類をＡＩシステムに指示するときに便利に使える。

キーワードと対策をシステムに入れると、コーテックス・アンド・ロゼッタが似たような属性を持つ投稿を積極的に探してくれる。

こうしたツールを使えるようになって、フェイスブック社員の影響力は大幅に増えた。ある投稿に問題があるというユーザーからの報告を待ってそれをレビューするという受け身の姿勢ではなく、対応が必要な投稿のタイプを指定して、**毎日の何十億もの投稿からそれを探し出すようにフェイスブックのAIに指示するようになった**のだ。

ザッカーバーグは自殺について語るときに一番熱くなった。

「このような会社をやっていて、まあいいさ、誰も報告しなかったから何もしようがなかったんだ、なんて思っていられない」と彼は言った。「誰かが自傷したり自殺しようとしているようだったら、その人にたどり着く手段のある人に知らせたいし、その人が必要なサポートを得る力になりたい」

インタビューから1カ月も経たないうちに、フェイスブックはAI基盤の自殺防止ツールを導入することをアナウンスした。[12] フェイスブックによれば、同社の対応が必要な事例の報告について、このAIツールはすでに人間よりも正確になっているということだった。

その約1年後、フェイスブックのプロダクトマネジメント担当副社長ガイ・ローゼンが、

ＡＩによるレビュープログラム全体がどう実行されているかについて最新情報を投稿した[13]。

彼によれば、ＡＩはフェイスブックが裸体やヘイトスピーチ、露骨なコンテンツを含む投稿を積極的にレビューするために役立っている。

また、ＡＩはテロリストのプロパガンダ（１四半期に２００万件近く）を自動的に削除していた。さらに同社のモデレーターに対して、自殺を企図している人についてアラートを出し、モデレーターはすでに１０００回以上緊急の通報を行ったという。

「ライブ動画で自殺しようとする人がいると言いながら、『同じプラットフォーム上にあるまったく問題のない投稿とは区別して考えればいい』なんて、とても言えません」と、フェイスブックのアプリ部門長フィジー・サイモは話す。

「実際のところ、わが社のＡＩはこの種の出来事を検出して、自殺しようとしている人を力づけ、警察などに通報し、命を救うことができます。それも昼夜を問わずにです。何よりも、それだけで大きな成果です。ＡＩによって、フェイスブック製品がまったく問題のない投稿の場になっているという自信を持てます」

カンデラが豪語したのは正しかった。**今日のフェイスブックはＡＩなしに存続できない。**ＡＩがなければ、同社の製品はおぞましい投稿にのっとられ、製品チームは力を発揮できず、幹部陣は疲弊しているだろう。

フェイスブックのAIシステムはまだ完璧にはほど遠い。またモデレーターのなかには、最近の報道で明かされたようにひどい状況で働いている人もいる。[14]

それでもAIが進化し、また現在批判を受けているモデレーターの状況をフェイスブックが改善すれば、これらのシステムはさらによくなっていくに違いない。

これらのツールの支援を受けて、フェイスブックの従業員たちは次に来るものの創造に集中でき、幹部陣はこれらの新しいアイデアを検討して、それに生命を与えるための余裕を持てるのだ。

給与体系システムのロボット化

アルゴリズムやAIなどによって、フェイスブック内の実務ワークは効果的に削減された。同社の人的資源部門は、従業員の給与額の決定にもアルゴリズムを利用している。

「わが社の賃金システムは完全に定型化されています」と話すのは、同社の人事部長のローリー・ゴーラーだ。

「従業員の評価と会社の業績の組み合わせによって、ボーナスや昇給、ストック・オプションをはじめ、すべてが決まります」

フェイスブックが現在の給与システムをつくったのは、２０１０年代の初頭だ。同社の人的資源チームが、アルゴリズムのほうが人間よりも効率的で偏見も少ないことを突き止めたときだった。

それまではマネジャーも従業員も、給与に関係する仕事に大きな時間を費やしていた。昇給の権限を持つマネジャーが自分に似た人ばかりに昇給を認めてしまうと、不公平が生まれる。もちろん、業績評価にもとづく統一の昇給システムも完璧ではない。

フェイスブックは成長という尺度を重視してきたが、評価基準がよく考え抜かれていないと、高評価を与えられるような仕事にばかり従業員が集中することになりかねない。しかし上手に実装できれば、統一の昇給システムは矛盾を極限まで減らした昇給を保証できる。

「このシステムには自由裁量はまったくありません。自由裁量は組織のなかでの偏向につながり、ジェンダーや人種間での成果の不公平やデータの差別化につながるからです」とゴーラーは話す。「**自由裁量を取り除くことで、ずっと客観的なものになります**」

フェイスブックのアルゴリズムによる給与モデルの中核には、個人の業績評価がおかれている。「期待値を満たさない」から「期待値を再定義する」までの5段階でつけられた評価をアルゴリズムのシステムに入力すると、企業全体の業績を考慮して支払金額が決定される。

フェイスブックは6カ月ごとに個々の従業員と会社全体の両方についてレビューを行い、その都度業績評価が決定される。このプロセスのなかで、従業員は一緒に働いている人すべてからフィードバックを受ける。

マネジャーは、そのフィードバックを読んで評価をつけてから「キャリブレーション・セッション」で、同僚たちと討議して必要な調整をする。これらのセッションが、評価が公平に行われることを保証する。

キャリブレーション・セッションの最後に最終評価が決まり、成績をシステムに入力すると、総合的な数字が出力される。そしてこれらの数字が最終のものとなる。

「これ以上の交渉の余地はありません」とゴーラーは言った。

この給与決定テクノロジーは、実務ワークをさらに削減してアイデアへの余地を生み出すことになる。

「チームのメンバーたちと毎日、給与の話ばかりしていたくはないでしょう」とゴーラーは話す。「そんな話は年に1回、昇給のときだけで十分です。それ以外は仕事に集中できます」

入力に左右されるフィードバック

２０１８年４月10日の朝、私はワシントンＤＣのハート上院オフィスビルの広い公聴会室に入っていった。部屋は報道記者でいっぱいで、サンフランシスコで見知った顔もあった。一般傍聴席も満席だった。見るからに定員を超えていて、記者たちは長い木製のテーブルを前に肩を突き合わせて座っていた。私も空席を探してなんとか割り込んだ。

無責任なうわさをささやく声がそこかしこから聞こえるなか、上院議員たちが列になって入場し、スマートフォンを眺めていた。その一方で傍聴席の人々は、きょろきょろと様子をうかがっていた。記者たちはツイッターをチェックしていた。そして、とうとうマーク・ザッカーバーグが入ってきた。

メンローパークではじめてザッカーバーグと話してから14カ月ほどが過ぎていた。その間に、２０１６年の大統領選中にフェイスブックのサービスを舞台として行われた、ロシアの資金援助による大規模な情報工作を同社が見過ごしていたことが発覚した。[15]

続報では、データ分析による選挙コンサルティングの会社「ケンブリッジ・アナリティカ」が、何百万ものフェイスブックユーザーのデータをドナルド・トランプの大統領選キャンペーンのために不正利用したことが明らかになった[16]。

これらの出来事はフェイスブックの信用を傷つけ、世界での立場を失わせ、ザッカーバーグが上院の司法委員会と商業委員会による公聴会で証言するはめになったのだ。

入室したザッカーバーグを見て、フィードバックに突き動かされ、他人が何を考えているかを突き止めてやろうと決意している男が、自分のサービスの脆弱性にどうしたら気づかずにいられたのだろうと、不思議に思った。

フェイスブックのライブ動画で人が撃たれるところが配信されるだろうと、私の同僚でさえ確信を持って予想できたのに、ザッカーバーグがそれを心配しなかったのも謎だ。

もし米国の民主的プロセスを弱体化させる大規模なたくらみにロシアが関係していたことが明らかなのであれば、どうして彼はフェイスブックでの虚偽情報が２０１６年の大統領選挙の結果に影響したことを、「ありえない考えだ」と言ったのだろう。

そしてケンブリッジ・アナリティカについての報道を知ったとき、どうしてあんなに驚いて、何日も経ってやっと対応したのだろう。

その答えは、フィードバックのシステムについての本質的な教訓にもなる。

ザッカーバーグは人々にフィードバックを求めるが、手当たりしだいに求めるだけではダメなのだ。**フィードバックのシステムは、機械学習と同じように入力に左右される。**

ザッカーバーグが周囲に気難しいギバー、すなわちフェイスブックの製品を向上させ、フェイスブックの広告ビジネスを成長させるのに役立つような厳しい真実を語る人々を集めた結果、そのほとんどはフェイスブックの仕事を「事実上の善」だとみなして、問題が起こる可能性などまったくないと考えるような技術志向の楽観主義者ばかりになっていたのだ。

私が同僚のライアン・マック、チャーリー・ワーゼルとの連名で「バズフィード・ニュース」で報じたように、気難しいギバーのひとりでフェイスブック幹部のアンドリュー・《ボズ》・ボズワースが2016年の社内向けグループへの投稿のなかで言った「醜悪」という言葉が、それをもっともよく言い当てている。[17]

我々は、自分たちの仕事の善悪についてはしょっちゅう話す。

私は醜悪について話したい。

我々は人々とつながる。

もし人々がそれを肯定的に使うならそれはよいものになる。誰かは愛を見つけるかもしれない。自殺しようとしている誰かの命を救うことだってあるかもしれない。だから、我々はより多くの人々とつながる。

もし人々がそれを否定的に使うなら、それは悪いものになる。いじめの原因となって誰かが命を落とすことがあるかもしれない。我々のツールで、組織されたテロリストの攻撃で死ぬ人がいるかもしれない。

それでも、我々は人々とつながる。

私の言う「醜悪な真実」とは、我々が人々とつながることを本当に心の底から信じているために、もっと多くの人々ともっとたくさんつながれるためのものなら、なんでも「善に違いない存在」だと考えてしまうことである。たぶん我々にとって、人々とのつながりの多さという計測基準以外に、真実を告げてくれる領域はないのかもしれない。

「バズフィード・ニュース」でこの投稿を紹介した後、ボズワースはこの投稿を議論のきっかけにしたかったと話した。その一方で、ザッカーバーグはそれを否定した。

「ボズは才能あるリーダーで、挑発的な物言いをする。この発言には私自身を含めフェイスブックのほとんどの人間が強く反対した。私たちは結果が手段を正当化すると信じたことはない」

ボズが挑発しようとしたかどうかはともかく、彼の投稿は、**悪人がフェイスブック製品を利用する可能性について、同社の内部の人々が十分に考えていなかったことを証明するもの**

だった。

フェイスブックの過剰な楽観主義は、問題を報告するユーザーと同社のプロダクトマネジャーとの間で、悪用についての考え方がしょっちゅう食い違うことからも明らかだ。

フェイスブックが新製品を公開する際は、同社の開発した製品が世界を変えることに自信満々で、見下したような口調になったりする。たとえば、こんな感じだ。

「メッセンジャーの新機能『ステッカー』は、世界をさらにコミュニケーションと表現にあふれたものにするでしょう。私たちはこのステッカー機能をユーザーの手にもたらしたこと、ユーザーがそれを活用するのを見ることを本当にうれしく思っています」

ちょうどそのころ、クレムリンはフェイスブックのニュースフィード、グループなどの機能や広告プラットフォームを操る方法を編み出していたわけだ。

上院議員たちの前でザッカーバーグは、フェイスブックのフィードバックシステムにあるこの欠陥についてほぼ認めた。

「フェイスブックは理想主義的で楽観主義的な会社です。創業以来、わが社は人々をつなげるためにできるあらゆることに注目してきました」と彼は冒頭陳述で述べている[18]。

「しかし、いまではわが社のツールを悪用から守る方策が不十分だったことが明らかです。

たとえば、フェイクニュースや外国からの選挙への干渉、ヘイトスピーチ、開発者とデータのプライバシーなどの問題があります。わが社が企業責任の点で十分に広い視野を持っていなかったことは、大きな過ちでした」

新たな入力によるシステム変更

自らのフィードバックシステムに新しい入力の必要性を認めたザッカーバーグは、対策をとりはじめた。フィードバックのシステムを改良するため、フェイスブックは諜報機関の元職員やジャーナリスト、学者、ライバル会社のメディアバイヤーなどを雇い、彼らに同社のシステムを強固なものにしてほしいと伝えた。

フェイスブックのプログラムマネジメント&グローバルオペレーション担当副社長のジャスティン・オソフスキーは次のように語った。

「**求めているのは異なった考え方です。**何かが起こる前にリスクを発見し、同定し、理解し、それに対処することに熱心な人が必要なのです」

2018年の米国中間選挙は、フェイスブックがさらなる選挙操作に対抗できるかを確認する最初の大きな試練だった。その数日前、私はジェームズ・ミッチェルとローザ・バーチ、カール・ラビンに会った。この3人は、フェイスブックで新しい「入力」人材を一からまとめあげてきた。

ミッチェルはフェイスブックのリスク・アンド・レスポンスチームを率いて、同社のコンテンツ承認システムの弱点を見つける仕事をしている。

バーチは同社の戦略的レスポンスチームのプログラムマネジャーで、部門を超えてフェイスブックの危機対応を統率している。

ラビンはニューヨーク・タイムズ、フォーブス、CNNなどで働いていた元エディターで、同社の調査オペレーションチームで働いている。このチームは、フェイスブック製品で起こる可能性のある問題行動について検討することを唯一の目的としてつくられた。

ミッチェルとバーチは、ラビンをはじめとするフェイスブックが雇った敵対的な考え方の専門家たちと手に手を取って働いている。

「我々は、権利保護団体やジャーナリスト、官僚から寄せられる情報に応えるだけではなく、これらのことについて考える人を内部に必要としているのです」とラビンは話した。

フェイスブックを何年か見てきた人間としては、元諜報機関職員や元報道記者が同社のプロダクトマネジャーとコラボレーションしていることに違和感を抱くが、**彼らがこの会社に**

異なった考え方を持ち込んだことは明らかだ。

「脅威やリスクについて話題にでき、可能性や動機、脆弱性などを話し合えることはすばらしい」とラビンは話した。それまではメンローパークで、脅威や脆弱性、動機といった言葉を聞いたことがなかった。

さらにフェイスブックは外部の人間を雇用することで、北カリフォルニアに広まっている同質的な考え方やテクノロジー万能主義を排除しようとしている。

「我々のほとんどはカリフォルニアに住んでいないので、昼食を一緒にしたりすることがありません」とラビンは言う。「ダブリンにいたり、シンガポールにいたり。私はテキサス州のオースティンに住んでいます。カリフォルニアを中心に世界を見ないようにするために、わざとそうしているんです」

このような**敵対的な考え方の専門家たちの見方を注入する**ため、フェイスブックは彼らを、同社の製品やプロセスを熟知しているような古くからの従業員と同じチームに入れて働かせている。

「あるプラットフォームでそれがどんなふうに現れるかを知らなければ、外部の問題点が内部ではどう見えるか変換することができません」とミッチェルは話す。「フェイスブックでは、両者（のタイプの人々）を組織に取り入れようとしています。システムが善用される方法と悪用される方法の両方を理解するには、両者がいることが特に重要だからです」

新しい「入力」の人々はさまざまな場でコラボレーションしている。

そのなかに、インシデントレビュー会議がある。この会議では、同社の製品チーム、ポリシーチーム、オペレーションチーム、コミュニケーションチームが毎週金曜日に集まって、同社の過ちを掘り下げて検討する。

この会議は、フェイスブックでは楽観主義に染まっていない新顔の従業員が、ほかでは気づかれることもないような事柄を話し合ったり、指摘したりする場である。

ミッチェルは「人員も重要ですが、新しいプロセスも大切です。レビュー会議のようなプロセスがないと、何か思いつくだけになってしまいます。大事なのはその思いつきを検討することなのです」と話した。

フェイスブックの新しいチームのメンバーたちは、これらの公式の場以外に、社内フェイスブックグループでもフィードバックをしている。

「グループでの雑談は非常に重要です」とバーチは説明した。「すばやいコミュニケーションを容易にしますし、受信メールボックスに無駄なデータもたまりません。それに、チームのつながりを強いものにしてくれます。同じ場所で働いていないときは、特にそれが大切なのです」

ミッチェルとバーチ、ラビンの各チームは、フェイスブックの機械学習システムが何を検索すべきかを知るうえでも非常に役立っている。

フェイスブックがロヒンギャ虐殺のきっかけになったと批判されていたミャンマーで広がったヘイトスピーチに対処するため、バーチのチームはフェイスブックの機械学習エンジニアに協力を求めて、言語を抽出できるシステムを構築した。

それからそのシステムにキーワードや画像属性、そのほかモデレーターに送るべき情報を決めるために使える危険信号を入力した。

これらのツールのおかげで、フェイスブックがこの危機に対処するために雇った新規のモデレーターが、さらに効率よく働けるようになった。だが、そのときには損害のほとんどはすでに起こってしまった後だった。[19]

フェイスブックは現在、カメルーン[20]やスリランカをはじめとして、ほかの国で同様の問題が起こることを防ぐために対応していて、いまではずっと迅速に対応できるインフラストラクチャーが用意されている。

ザッカーバーグのフィードバックシステムの欠点が原因で、フェイスブックは何年間もカオス状態に陥っている。しかしまさにそのシステムこそが、同社が迅速に立ち直る役にも立つことだろう。

フェイスブック社員は、元諜報機関職員やジャーナリスト、メディアバイヤー、そのほかの敵対的思考の専門家といった「新しい入力」の言葉に積極的に耳を傾けるようになった。

さらに同社には、ほかの人のアイデアを検討するトレーニングを受けた人が大勢いる。つまり、受け入れるのが得意な聴衆がそろっているのだ。

「情報を熱心に受け入れようという姿勢があります」とラビンは言っていた。

3人との会合が終わると、バーチはラビンに、いつオースティンに戻るのかと話しかけた。ラビンは、次の火曜日までメンローパークにとどまる予定だと答えた。選挙の日だ。

そして、2018年の中間選挙が訪れて過ぎ去ったが、ラビンの出番はなかった。

フェイスブックには今後もまた試練が訪れるに違いないが、今回は同社のサービスが悪用されることはなかった。

フェイスブックの次の変革

２０１９年9月25日、ザッカーバーグはサンノゼ・マッケンナリー会議センターの壇上で、「次のコンピューター・プラットフォーム」という演題の前に立っていた。フェイスブックがバーチャルリアリティー向けに構築したＯＳとハードウェアのオキュラスの開発者向けカンファレンス「オキュラス・コネクト」に来ていたのだ。

オキュラスは、アプリ以上のものになろうとするフェイスブックの努力を示す製品だ。フェイスブックが「次のコンピューター・プラットフォーム」だと信じて**独自ＯＳを構築したのは、同社が自らの脆弱性の源、すなわち競合相手の気まぐれに翻弄される立場から解放されたいと願っているからだ。**

「自分でプラットフォームを構築したときにだけできることがある」とザッカーバーグは言った。「私たちはモバイルアプリをつくり、ウェブサイトをつくる。しかしモバイルアプリでは、その挙動についてＯＳのつくり手による想定に大きく制約されることが多い」

ザッカーバーグは、モバイルＯＳでやりたい作業を選んでから、次に相手を選ぶという手順に不満だという。たとえば、まずメッセージ用のアプリをタップしてから、メッセージを送りたい相手をタップする。

これは人間の性質とは反対だ、まず相手を選んでから作業を選ぶのが本来だ。

「私が何をやりたいか、それもAR（拡張現実）とVR（仮想現実）を使って何を実現したいのかといえば、次のコンピューター・プラットフォームの方向性に影響をおよぼして、単に作業をこなすだけでなく、組織的な動作原理にのっとって、人間に寄り添ったものにしていくことだ」と彼は話した。「コンピューターが進化する方向性について、私が本当に気にかけているのはそこなんだ」

ザッカーバーグは、他者に依存するのがどういうことかがわかっている。そして、そのままではいたくないのだ。

ARやVRの時代が始まるとしたら、フェイスブックはオキュラスを通じて独自の汎用OSを持つことになり、自社サービスで人々が交流する方法に影響をおよぼせるだろう。

現在は、パソコンでもスマートフォンでも音声サービスでも、フェイスブックはそういう力を持っていない。ザッカーバーグはそれを心底望んでいるから、オキュラスをフェイスブックの次の大きな変革の舞台にするために投資しているのだ。

フェイスブックには、その並外れた成功を将来まで維持するために必要な野望も技術力も処理能力も備わっている。ザッカーバーグのガラスで囲われた会議室を立ち去るとき、これまでになくそれは明らかに思えた。

フェイスブックが、新しい入力に耳を傾けて責任を果たしていくことを通して、健康的なかたちで成長できるならば、同社は今後何十年も力を持ちつづけるだろう。

もしそれができなければ、連邦政府の監督機関から圧力がかかり、政治家が同社の解散を求めている現在、フェイスブックはザッカーバーグがずっと避けようとしてきた「技術史上のささいな事柄」としての位置を占めるだけに終わってしまうだろう。

[＊1] フェイスブックは長年、一般からのフィードバックを無視してきた。初期に、ユーザーがニュースフィードや独立のメッセンジャーアプリなどの機能に反対する抗議運動を起こしたときも、断固として立ち向かった。フェイスブックが意見を曲げないまま抗議の対象になった製品が人気を得て以降は、一般からの不平不満を事実上無視するようになった。

もっともそれが、フェイスブックのあらゆる問題の原因となってきたのも事実だ。ユーザーのプライバシー無視、個人情報のいいかげんな取り扱い、プラットフォーム上での暴力的コンテンツに一見して無関心なこと、外国からの選挙操作に気づかなかったことなど、ほかにもたくさんの炎上案件がある。

ザッカーバーグが、内側のフィードバックと同じように外からのフィードバックにも多少の注意を向ければ、フェイスブックはもっとずっとよいものになるだろう。

第3章

サンダー・ピチャイのコラボレーションの文化を探る

Google

2017年7月、グーグルのエンジニアであるジェームズ・ダモアが、同社のダイバーシティ&インクルージョン（多様性を受け入れて生かしあう）の実践を批判する10ページの告発書を書いた。

グーグルの反偏見トレーニングに出席した直後に書き上げて、トレーニングのオーガナイザーに送り、フィードバックを求めたのだ。

ダモアによると、テクノロジー業界における男女の雇用数の不平等は、部分的には生物学的な差異が理由であって、トレーニングで強調したように偏見だけが理由であるわけではないという。女性は男性よりも神経質だと彼は書いている。そして、それが「ストレスの大きい」仕事に就いている女性の割合が低い理由だろうというのだ。

告発書の拡散

「グーグルでは、暗黙のあるいは無意識の、またはあからさまな偏見のせいで、テクノロジーやリーダーシップの点で女性が不利になっているとしょっちゅう言われる」と彼は言う。「もちろん男性と女性に対する偏見やテクノロジー、職場に関する経験は異なるし、それは認めるべきだ。ただし、それですべてを説明できるわけではまったくない」

トレーニングのオーガナイザーからの返事がなかったので、ダモアは自分の書いた文章を「スケプティックス」というグーグル社内の小さな電子メールグループでシェアした。

スケプティックスは、グーグルにある何千もの電子メールコミュニティの1つで、現状をなかなか受け入れられない人たちの集まりだった。この告発書について論じるのに適した場所だと思ったわけだ。

だが、スケプティックスのメンバーたちは、ダモアが送った文章をほかの人々に転送し、文書はすぐに全社に広まってしまった。ダモアの**告発書はグーグル社内のコミュニケーションの輪のなかで話題にされて、意見が分かれた。**なかには彼の持論を評価する社員もいた。

それでも議論の大半は、グーグルがダモアを解雇すべきかどうか、さらに彼の支持者も解雇すべきかどうかをめぐるものだった。ダモアによれば、何百人もの同僚から感想を受け取ったが、ほとんどは彼に賛同するものだったという。

議論が沸騰するなかで、この文書をウェブメディア「ギズモード」のケイト・コンガーに送った者がいた。[1] コンガーは休暇中で電話がつながりにくい場所にいたが、それをものともせずに追及記事を書いた。

ギズモードの記事は何百万人もの読者に読まれ、職場での女性の取り扱いに敏感になりつつある現代社会で注目の的となった（「MeToo運動」[2]が起こるほんの2カ月前のことだ）。**最初はグーグルの小さな内部ネットワークへの投稿だったものが、世界でもトップのニュースになってしまった**のだ。

その渦中、当時国外に旅行中だったグーグルCEOのサンダー・ピチャイは、決断を迫られた。ダモアを解雇せず、グーグルの従業員たちに、女性は神経質だからリーダーに就けないなどという意見を大目に見ているように思われるのか。

それともダモアの首を切って、グーグル内で重視されている表現の自由が、実は完全な自由ではないというメッセージを送るリスクを冒すのか。

社内へ送った通知でピチャイは、さまざまな意見を歓迎しているが、ダモアの「女性は生物学的にグーグルでの仕事に向かない」という意見は、自分にとって一線を越えていると明言した。

「グーグルでともに働く人たちが、会議で口を開くたびにあの文書で言われていたような状態になっていないか、すなわち『断定的』でなく『賛同的』になっていないか、『ストレス耐性が低く神経質』な姿を見せていないか、などと心配する必要などあってはならない」とピチャイは書いている。そしてピチャイは、ダモアを解雇した。

グーグルの集合精神

グーグルではアイデアは速やかに伝達される。あまりに速やかなので、アイデアを出した人が制御できないことも多い。組織がそのように設計されているからだ。だから、給湯室でのおしゃべりが国際的な出来事になってしまったのだ。

しかし、ダモアの告発書を広めてしまったコミュニケーションツールはまた、従業員たちをひとつの集合精神のもとにつなぎ、部門間の境界線をなくすことで、グーグルを地球上でもっとも協調的な企業にしてもいる。

ピチャイのリーダーシップのもと、これらのツールの力を借りてグーグルは何度も考え方を変え、同社に逆風となるようなコンピューティングの変化の数々を乗り切ってきた。

グーグルは明らかに現代世界を支配する企業である。その沿革は、検索の謎を解明し、時価総額8000億ドルになった企業の物語だ。しかしその**グーグルでも、たったひとつの製品の収益だけでは、現代の移り変わりの早いビジネス界についていけない。**

顧客の嗜好の変化に後れをとらないために、グーグルは自身はもとより、特に検索の変革を繰り返してきた。「検索の会社」グーグルは、数多くの進化をくぐり抜けてきたのだ。

グーグルは最初はウェブサイトとして始まったが、マイクロソフトがインターネット・エクスプローラー（ＩＥ）へのグーグルの組み込みを止めると、クロームでブラウザに変身した。そしてウェブの利用がパソコンからモバイルへと移ると、検索を中核としたモバイルＯＳ「アンドロイド」を開発して再び自身を変革し直した。

現在、音声でモバイル機器の操作をする世界になって、グーグルは音声アシスタントでの検索をいま一度変革している。

変革のたびに、グーグルは既存の製品群の要素を新製品に組み込む。それには緊密なコラボレーションが必要になる。たとえばグーグルアシスタントには、グーグル検索、マップス、ニュース、フォトズ、アンドロイド、ユーチューブ、その他多くの関連製品が使われている。

このような製品間の乗り入れを実現するため、グーグルではグループ間でシームレスに作業しなければならない。**グーグル内のコミュニケーションツールには専用のものもあれば汎用のものもあるが、そうしたツールによってこのコラボレーションが可能になっている。**

グーグルの従業員は、完全にグーグルドライブの中で作業する。たとえばドキュメントとスプレッドシート、スライズ（パワーポイントのグーグル版）を使って計画を作成し、会議の議事録をとり、財務情報をまとめ、プレゼンテーションをする。

グーグル社内では、グーグルドライブに置かれたファイルはほぼ誰でも開けるようになっている。そのためグループをまたいで働いているグーグル社員は、進行中のプロジェクトについて資料を読み、それらがどんなふうに発展し、どこを目指し、どうやって収益を上げ、誰がかかわっているかを知ることができる。

このシステムを通じて、グーグルはその規模としてはこれまでになく風通しがよい企業になっている。

ある元グーグル社員によれば「あれほどの大企業で、あそこまでのアクセスのしやすさと透明性を保っているおかげで、自分ひとりで多様な研究をするのが非常に簡単だったし、適切な研究相手とつながるのも容易だった。社内であらゆることができた。社内の文書すべてを検索できた」という。

グーグル社員は、一緒に働きたい同僚を見つけたら、グーグルのイントラネット「モマ」で相手のことを調べて連絡がとれる。

「全社の社員名簿があって、あらゆる人の情報を見られる。そこで顔写真と電子メールアドレスを見たり、その人の予定を確認したり、ミーティングの予約を入れたりといったことができる。いつもやっている仕事以外のことをしたいときに、適切な人を簡単に見つけられるのが一番ありがたかった」

グーグルドライブをオープンなものにすることで、グーグルは文書そのものの共同作成すら可能にしている。グーグルの元戦略部門長マット・マクゴワンは、はじめてのプレゼンテーションをスライズでつくっていたときに、同僚が同時にそのファイルを開いて編集しはじめたことに驚いたという。

マクゴワンは最初、自分の変更が同僚の邪魔にならないよう、文字通りパソコンから手を引いたという。しかし、それは彼にグーグルの文化を紹介するために、チームメンバーがわざとやったことだった。そして彼は、それを知ってすぐになじんだ。

「私が家でくつろいでいるときにも、世界中にいるチームのメンバーが私のファイルに情報を追加して、足場を固めてくれている」とマクゴワンは話した。「だから何でもあっという間にできあがった」

コミュニケーションのツール

グーグル社員はグーグルドライブの中で作業するので、電子メールに文書を添付しないと

いう暗黙のルールがある。そうすることで同時に同じ文書の複数のバージョンができること
や、その帳尻を合わせる無駄を避けられる。

マクゴワンによれば、「それでバージョンコントロールが不要になる。そういう問題を消し去れたら、どれだけの時間を節約できるか考えてみるといい」という。

グーグルドライブの検索機能を見てみよう。

検索をかけると「文書の作成日時」「アクセス頻度」「作成者との関係」、そのほかの条件にもとづいて文書を提案してくれる。**これらのツールのおかげで、グーグル社員は迅速に同僚の作業について情報を得たり、同僚の作業に貢献できる。**

グーグル社員は、スケプティックスなどのメーリングリストを通してつながり、プロジェクトの話からグーグルのビジネスにはほとんどかかわりのない雑談にいたるまで、あらゆることを話し合う。

「どのメーリングリストにも自由に参加できる。モデレーターがいた記憶はないな」と話すのは、グーグルの元タレント部門長のジョゼ・コンだ。

「話題のほとんどは予想どおりさ。アイデアについて議論したり、技術的な問題点について助言を求めたり、グループをサポートしたり。自転車好きのグループは、本社キャンパス周

辺でのサイクリングのコツを話し合っていたよ。私が辞める前には、社員が給与額を公開しているドキュメントもあった」

これらのメーリングリストのおかげで、グーグル内では情報やアイデアがあっという間に伝達される。

「ツールがあり、デジタル化があり、接続性がある。意見を出し合うという何十年も試行錯誤されつづけてきたことが、現在はずっと簡単になった」とコンは話す。「以前は、そういうことは給湯室や昼食の場で行われていた。いまではコーヒーショップでする必要はないし、ずっと広い範囲で意見交換ができる」

また、グーグル社員たちは「TGIF（Thank God It's Friday：金曜日だ！）」という経営陣たちとの質疑応答セッションに毎月集う。このセッションはグーグルのマウンテンビュー本社にある広いカフェテリア「チャーリーズ」で開かれ、ピチャイからの近況報告、ほかの経営陣やチームによるプレゼンテーション、質疑時間などがある。

TGIFでは、テクノロジーも活用されている。世界中のグーグル社員がイントラネットを通してセッションを視聴でき、「ファインディング・ニモ」のドリー（健忘症で質問しまくる魚）にちなんで名づけられたQ&Aソフトウェアツールの「ドリー」で質問できる。

社員たちはドリーで質疑の時間に答えてほしい質問を投稿する。ほかの人の投稿は見えないので、他人の意見に影響されずにすむ。経営陣は通常、上位10個の質問に答える。私が2019年2月にグーグル本社を訪れた際は、ドリーへの投稿数は1000件におよんでいた。

さらにグーグルには、社内専用ソーシャルメディアツールの「ミームジェン」がある。これは、グーグル社員が社内向けストーリーラインにミームを投稿するウェブサイトだ。

私がグーグルを訪問したときには、議会で証言したピチャイへのほめ言葉や、グーグルの採用基準についてのジョーク、下ネタ、同僚の死を悼む声、間違って電子メールを全社に送ってしまったことを謝る言葉などがあった。マリッサ・メイヤーが再建中のヤフーCEOになるためにグーグルを去ったとき、ミームジェンのトップ記事は彼女の写真に「熟練の技術指導者、ついに非営利機関を率いることに」とコメントがついたものだった。[3]「従業員の気持ちを確かめるにはミームジェンにいく」とコンは言った。「社員たちが何を書いているかを知ることで、何が流行しているかがわかる」

グーグルのコミュニケーションツール群は、同社の成功にとって不可欠だ。

コミュニケーションツールは新しいプロジェクトのスピードを早め、アイデア創造の余地をつくるために必要な実務作業の削減につながる。

アイデアを社内にあっという間に広めて、変革と改良のきっかけとなる。決まりきった事務作業を削減し、**集合精神をもった同僚たちとともに働く大切さを強調することで、コラボレーションを可能にし、期待されるものを実現する。**

これらのツールのおかげで、グーグルはこれまでの15年間に何度も検索を変革し直してきた。そしてどの進化においても、サンダー・ピチャイが不可欠だった。

グーグルを救ったピチャイの提案

ピチャイがプロダクトマネジャーとしてグーグルに入社したのは、2004年の開発上の危機のまっただ中のことだった。当時、グーグル検索トラフィックの約65パーセントはマイクロソフトのブラウザ「IE」からのものであり、それがグーグルの大きな弱点となっていた。[4]

マイクロソフトは競争意識が非常に強い会社なので、検索トラフィックが生み出す何十億ドルもの収入をそのままずっと別の企業に渡しつづけるとは考えられなかった。そのためグーグル経営陣は、マイクロソフトがグーグルの検索を自社製の検索製品に置きかえることを危惧していた。

マイクロソフトの力に対抗して競争力をつけるため、グーグルはいくつもの製品をつくった。グーグルツールバーやグーグルデスクトップなど、人々がＩＥのデフォルト設定の外側で、グーグル検索にアクセスできるようにする製品だ。たとえばグーグルツールバーは、ＩＥのアドレスバーの下に大きなグーグル検索フィールドを追加するもので、インストールするとブラウザ画面でグーグルが一番目立つようになる。

ピチャイは、電話も冷蔵庫もないような南インドで育った。一見ひよわそうなエンジニアだった彼は、グーグルツールバーの責任者に指名されて、明確な目標を言い渡された。その目標とは、グーグルツールバーを人々のコンピューターにインストールさせることで、その経験を皮切りに彼はグーグルのトップに上りつめた。

グーグルツールバーはピチャイが担当になった当時、検索にアクセスしやすいことを歓迎する少数のアーリーアダプターたちの間でしか知られていなかった。それまでＩＥで検索するには、検索ウェブページで検索ボタンをクリックするのが一番早い方法だったのだ。くわえてグーグルツールバーには、ポップアップウィンドウをブロックする機能もあったので、その機能を使いたい人にも使われていた。

しかしプロジェクトが生まれてから何年間も、**グーグルツールバーのダウンロード数はマイクロソフトの脅威からグーグルを守れるほどにはなっていなかった。**そこでピチャイは、その問題の解決に力を貸してくれそうなパートナーシップの開拓を始めた。

「新しいウィンドウズソフトウェアを試してもらうための最大の難関は、まずそれをダウンロードしてもらうことだ」と話すグーグル副社長のライナス・アプソンは、当時ピチャイと同じオフィスを使っていた。

「だから、彼はアドビと手を組んだ。アドビのフラッシュとアクロバットリーダーは地球上で一番多くダウンロードされているウィンドウズ製品だったからね。フラッシュやアクロバットリーダーのダウンロード画面に、『グーグルツールバーもいかがですか』と薦めるチェックボックスを置いてもらった。ほかにも、当時ダウンロード数の多かったいくつもの製品で同じことをやった。配布するチャンネルを用意したわけだ」

アドビなど企業との会議で、ピチャイはまったく利害が異なるもの同士をまとめる方法を見つけ出さなければならなかった。時には提示金額が高額になり、交渉が緊迫することも多かったが、現金を生み出す広告ビジネスのおかげで、交渉で多額の金を動かせたことがグーグル側の強みになった。

ピチャイはパートナーに要求を高圧的に押しつけるようなことをせず、相手の意見を聞いてそれを評価し、解決策を検討した。

このグーグルツールバーのエピソードにおけるピチャイのふるまいは、彼が変革を奨励しながらグーグルでCEOにまで上りつめることを予見させるものだった。

ベゾスは、6ページ文書でアイデアを決定権のある人にまで届かせる。

一方でザッカーバーグは、フィードバックの文化を通じてアイデアが上下に流れる道筋をつくり、自分に直接届くようにした。

そして**ピチャイは、グループ間の障壁を取り除き、目標は設定するが自分の存在感はできるだけ小さくしてコラボレーションの火付け役となることで、アイデアが横に流れる構造をつくった**のだ。

「サンダーは会話を支配するような人じゃない。彼はほかの人が持っている考えを聞く余地をつくるのがとても上手なんだ」とアプソンは話す。「彼はとても思慮深く、熟考型だ。なおかつ、他人に耳を傾けるのが非常にうまい」

グーグルツールバーの利用が増えると、グーグルはマイクロソフトから厳しい扱いを受けるようになった。

「毎週のように火の手が上がるので火消しに大わらわでした。利用数が急に減ったのを見てなんらかの問題が起こっていると気づき、何が起こっているのかを探しあてなければならない状況でした」

グーグルの元シニアプロダクトマネジャーで、ピチャイの直属の部下だったアシーム・スードはそう話す。「結局、グーグルが状況を憂慮していることをマイクロソフトにきちんと認識させるためには、司法省を巻き込む必要がありました」

ピチャイがグーグルで働きはじめてから2年後に、マイクロソフトはIEの新版であるIE7を発表した。それから数カ月後には、同社はIEのデフォルト検索をグーグル検索から自社製のライブサーチ（ビングの前身）に切り替え、それまで不可欠だったグーグルをデフォルト検索の座から追いだした。

破滅的な事態になりかねないところからグーグルを救ったのは、ピチャイが取引きしたグーグルツールバーのダウンロード戦略だった。ピチャイはグーグルにおける最初の試練で、グーグルツールバーを何億人ものユーザーが使う機能に育て、何十億ドルもの収益を出し、マイクロソフトの攻撃からグーグルを守ったのだ。

しかし、グーグルのマイクロソフトとの闘いは白熱するばかりだった。

クローム開発への道のり

ピチャイがグーグルの採用面接を受けたのは2004年4月1日、グーグルがGメールをリリースした日だった。

グーグルは毎年エイプリルフールに突拍子もないうそをついていたので、この新しい電子メールサービスが本当なのかどうか、ピチャイにはよくわからなかった。しかもこの新規サービスは、ほかのウェブベースの電子メールサービスをはるかに超える1ギガバイトの無料ストレージを提供するという。

そこで彼は面接で、その真偽を突き止めようとした。

「面接官には何度もGメールをどう思うかと聞かれたよ。私はまだそれを使ったこともなかったのに。エイプリルフールの冗談だと思った」とピチャイは2017年に話している。「4回目の面接で、とうとう『Gメールを見たことがあるか』と聞かれた。『ない』と答えると、実際に見せてくれた。そして、5回目の面接で『Gメールをどう思うか』と聞かれたときに、やっと返答できるようになった[5]」

Gメールはうそではなかった。それは、マイクロソフトのビジネスの核となる要素にグーグルが切り込んだ最初の一太刀だった。

当時マイクロソフトはオフィスで大きな利益を上げていた。

このソフトウェアスイートには、電子メールとスケジューリング用のアウトルック、ワープロ用のワード、表計算用のエクセルが入っていた。これらのツールを使うには、マイクロソフトに対価を払って自分のコンピューターにインストールしなければならない。

Gメールを始めるにあたって、グーグルはマイクロソフトの主要なソフトウェアのそれぞれに対応するグーグル版アプリを用意し、そのいずれもブラウザ上で動作するものにした。**これからはブラウザの時代になると信じたグーグルの経営陣は正しかった。**２００６年３月にグーグルは「アプスタートル」を買収し、同社の製品「ライトリー」がグーグルドックスになった。[6] ２００６年４月、グーグルはグーグルカレンダーを導入した。[7] そして２００６年６月には、グーグルスプレッドシートを導入した。[8]

Gメールと組み合わせて使えるこれらのツールは、信頼性の高いブラウザベースのアプリによってマイクロソフトのオフィスに挑戦状を叩きつけ、マイクロソフトに王手をかけた。

グーグルの攻撃に対して、マイクロソフトは2つの道のいずれかの選択を迫られた。

一方で市場をリードする同社のウェブブラウザIEの改良を続けることもできるが、そうするとグーグルのウェブベースのツールがもっときびきび動くようになってマイクロソフトオフィスの座を奪うかもしれない。他方でIEの開発を遅らせることで、首位の座を守りつつグーグル（とそのウェブ）の性能向上を阻止することをねらう道もあった。

マイクロソフトは後者を選んだ。

「マイクロソフトはＩＥを首位の座を保てるくらいの高品質にしておきたかった。しかし、Ｇメールなどのウェブアプリがアウトルック製品より使いやすくなるほどには高品質にしたくなかった」と、マイクロソフトの元ジェネラルマネジャーで２００７年にグーグルに移ったチー・チューは話す。「当時マイクロソフトはＩＥ部門の人員配置を大幅に削減した。チームをほぼメンテナンスしかできない程度に小さくしたんだ」

マイクロソフトが開発を遅らせるにしたがって、ＩＥは低速になり肥大化していった。これはグーグル経営陣にはよくないニュースだった。マイクロソフトがグーグルの検索ビジネスを攻撃し、グーグルの生産性ツールを邪魔しているということだからだ。

だが、ブラウザを性能不足にするという戦略をとったことで、マイクロソフトは自らグーグルのさらなる挑戦を呼び込んでしまった。

グーグルはまず、ＩＥの最大の対抗馬だったファイアーフォックスに多額の投資をした。しかしグーグルはある時点で、**自分たちの理想とするブラウザを一からつくる必要があり、自身でやるべきだと決断した。**

アプソンは「純粋に技術的な観点から、過去の遺産を捨て去って、白紙の状態から始めたいという結論にいたった。一から始めるのが最良ということもある」と言う。

そして、**グーグルは「インターネットを速くする」という明確な目標のもと、新たなブラウザをつくるプロジェクトに着手した。**

もしこのブラウザが人気を得られれば、グーグルのウェブベース・アプリが成功するチャンスがずっと大きくなる。また、グーグルツールバーをダウンロードさせたり、グーグルドットコムに誘導したりしなくても、ユーザーがブラウザのアドレスバーに検索キーを直接入力して検索できるようになり、競争相手の気まぐれに翻弄されずにすむようになる。

グーグルは、このブラウザをクロームと名づけた。ブラウザの「クロームめっき」、すなわちアドレスバーやタブ、ボタン、ウィジェットなど、ブラウジング機能に関係のない要素を最小限にとどめるという目標を皮肉った名前だ。

このプロジェクトを率いるため、グーグル経営陣は再びピチャイを指名した。

極限まで推しすすめた自由な文化

グーグルツールバーでの成功体験から、ピチャイは斬新な方法でクロームの指揮をとることにした。オープンソース・プロジェクトの精神で運営される分散型の組織をつくって、コラボレーションを促進したのだ。

ピチャイのクローム開発チームのスタイルは、マクゴワンがグーグルスライズをはじめて使ったときの経験に似て、中央での意思決定がゆるやかなコラボレーションの試みだった。

ピチャイはクロームのグループに、ブラウザを高速かつシンプルで安全なものにするという目標だけを提示して、それを製品につくり上げることについては大幅な自由裁量を与えた。「サンダーは門番ではなかった。サンダーのところに行く必要はなかったということさ」とクロームのバージョン1から44までにかかわったチューはそう言った。「クロームについてはサンダーと話さずに開発を進められたので、サンダーに許可をもらうことはなかった。サンダーとアプソンは組織のなかに、メンバーを力づける文化を深く根づかせたんだ」

それでもチームのメンバーはピチャイの意見を聞きに行き、ピチャイはプロジェクトに一番いいと思われるアドバイスをした。

私が最終決定をするのは誰だったのかと質問すると、チューは「そんな人はいなかった」と答えた。「普通の会社での標準的なやり方を捨てなければいけない。他社で採用されている枠組みに当てはめようとするよりも、疑念を抱かずに予備知識すべてを棚上げしたほうが、わかりやすいと思うよ」

クロームの開発でピチャイは、グーグル創設者のラリー・ペイジとセルゲイ・ブリンがつくり上げた自由な文化を極限まで推しすすめた。

ピチャイは自分の権限を一般社員と同じところまで下げて、それぞれのメンバーに自分たちのやり方について自身で決断するチャンスを与えたのだ。ピチャイ自身が門番の役割を果たすのではなく、一歩退いて部下のチームに仕事を任せたわけだ。

ピチャイと働いている人々は、彼がよいアイデアをいろいろ持っていることを称賛する。

クロームの対抗馬であるウェブブラウザでは、1つのタブが正常に動かなくなると全体が機能停止することが一般的だが、クロームではそれぞれのタブが別のプログラムとして実行されるため、あるタブが正常に動かなくなってもブラウザ全体が機能停止することはない。また、検索とウェブナビゲーションを単一のアドレスバーに集約しているため、それ以前は2つの別のフィールドだったものが1つに整理された。さらに開発時の目標どおり、ブラウジングが高速になった。

クロームのオープンソース型の開発スタイルが非常にうまくいったので、グーグルはクロームのプログラムを最初からオープンソースとして一般に公開することにした。それが、開発者版ブラウザのクロミニウムだ。
「我々の意図は、ウェブプラットフォーム全体を推進する力となることだ」とピチャイは2008年にクロームを紹介した際に話している。「ウェブがよりよいものになれば、グーグルにとって直接の利益がある。わが社はウェブで生きている。我々はウェブ上でのサービスを構築しているので、ウェブがよりよいものになれば、さらにウェブを使う人が増えてグーグルの利益になる」[9]

こうしてクロームはできあがったが、ピチャイは一般社会だけでなく、社内にもそれを売り込まなければならなかった。グーグル社内には、ファイアーフォックスの開発に尽力してきた人が多かったからだ。

グーグルは、グーグル検索をファイアーフォックスのデフォルト検索エンジンにするという取引のもとで、ファイアーフォックスをつくった非営利組織のモジラに投資してきた。「ファイアーフォックスとあえて競合するのは、我々の求めるところではなかった」とアプソンは語った。

ピチャイは同僚たちを取り込むために、自分のつくった製品を強制する方法はとらず、そのよさを彼ら自身に発見させるようにした。彼はグーグル社員にクロームを使うことを義務づけたりはしなかったのだ。

「つまり、この製品の利点について製品自体だけで社員たちを納得させられるだろうかということだ」とアプソンは言う。「現在でも、グーグルの全員がクロームを使っているわけではない。まだファイアーフォックスを使っている人もいるよ」

この**軟着陸方式によって、ピチャイはグーグル内部の各部門やグーグル創設者たちからの信頼を勝ちとった。**

「サンダーはその場を仕切るのが非常にうまかった」と、ピチャイのペイジとブリンへのプレゼンテーションに同席したスードは話す。「操ろうとするわけではない。彼はとても誠実で、とても親身になってくれる。まったくでしゃばろうとしないし、自分自身のアイデアを押しつけるわけでもない。集団を指揮するのが非常にうまいんだ」

こうして生まれたクロームは前向きに受け入れられたが、圧倒的に勝利したわけではなかった。アーリーアダプターには支持されたけれども、IEの覇権を保つ慣性の力に苦戦しためだ。クロームを広めるために、ピチャイは以前グーグルツールバーで開発した配布チャンネルに打診し、グーグル経営陣から莫大な広告費を引き出した。

そうして、やっとクロームは離陸した。

「クロームはすばらしいものだったから、できたとたんに誰もがこぞって使ったというようなうわさがある」とアプソンは話した。「しかし実際には、まず1000万の熱心なユーザーは獲得できたが、自然に広がりはじめたのはユーザー数が1億を超えてからだった。その1億ユーザーに到達したのは、サンダーがグーグルツールバーで構築した配布チャンネルをクロームでも利用したからだ」

クロームは2008年に発表され、2009年にはアクティブユーザー数が3800万になった。[10] そして2010年には、1億ユーザーを超えた。現在は、10億を超える人々がクロームを使っている。

一方のマイクロソフトは、IEの開発をやめた。[11]

新たな時代の訪れ

グーグルがクロームによって安定した状態になってからそれほど経たないうちに、同社の地盤はまた変化しはじめた。今度の地殻変動は、マイクロソフトのIEという脅威がなつかしくなってしまうほど、大きな変化だった。

グーグルがクロームをつくったころ、通信や情報処理の技術の進歩によってコンピューターを手のひらサイズまで小さくできるようになり、スマートフォンの時代が誕生した。折り畳み式携帯電話に代わって、何百万人ものポケットにアイフォーンやアンドロイド（グーグルがつくったOS）機器が収まるようになった。

マウスとキーボードで使うようにデザインされていたブラウザは、モバイル機器ではそのままでは使えなかった。スマートフォンの小さな画面は、自由なネットサーフィンには向いていなかったため、インターネットがアプリ経由で使われるようになったのだ。

ユーザーがアプリを使う時間が増えるにつれ、グーグル検索の重要度は低くなった。

たとえば、近くのレストランをグーグルで検索せずに、イェルプのアプリを使う。航空便とホテルを検索せずに、カヤックのアプリを使う。ニュースや情報を検索しなくても、フェイスブックが送りつけてくる。

グーグル検索はいくつかキーワードを入れることで、インターネット上の数限りないウェブサイトを取捨選択して、ユーザーの求めるものを正確に示すという仕組みだ。しかしモバイルでは、その存在意義を十分に発揮できなかった。

ほぼ同時期に、もう1つの大きな技術的進歩が訪れた。

長年低迷していた人工知能の研究が、コンピューターを小さくしたのと同じ情報処理と通信の進歩によって大きく進みはじめ、それがスマートフォンの隆盛につながった。スマートフォンは、人工知能の研究者たちが構築したモデルを検証するために必要とする大量のデータを生み出すことにもなったのだ。

「我々の業界はついに、これらのモデルを現実の問題に実際に適用できるだけの十分な計算性能を獲得したのです」

グーグルのシニアフェローで、同社のＡＩリサーチグループのグーグル・ブレインを率いるジェフ・ディーンはそう話した。


グーグル、そしてより広いテック業界も、初期の成果を見てＡＩに多額の投資を始めた。さらにグーグルは、ＡＩ研究がそれまで明確なビジネス上の成果を出していないことに躊躇することなく、ＡＩ領域の主な研究に大きな人的資源を割り当てた。

それらは、**コンピューター・ビジョン、音声認識、自然言語理解の３分野**だ。

「言語、視覚、発話という３つの重要な領域に、実現できそうなものがあるのは明らかだった」とディーンは話した。「どんどん成果が集まりはじめた。モデルを大きくしてトレーニング用データを増やせば増やすほど、実際にもっとよい結果が得られるようになった」

コンピューターはいまだに人間の知能レベルに近づいたとはいえないが、この進歩によってコンピューターは人間がするように世界と交流できるようになった。
AIを使ってコンピューターは2次元の画面から成長し、見て聞いて自然言語を処理して返事をすることのできるものに生まれ変わった。
そして2014年11月にジェフ・ベゾスの変革の工房がそのすべてを統合して、アマゾンが「エコー」とそこに組み込まれたデジタルアシスタントの「アレクサ」を発表した。[12]
そのころマウンテンビューでは、グーグルのリーダーたちがアマゾンに注目していた。

AI第一主義の導入

2015年8月10日、ラリー・ペイジが衝撃的なブログ記事を投稿した。[13]世界でもっとも有名なブランドの1つであるグーグルは、今後アルファベットと名乗るというのだ。

アルファベットを構成する企業には、カリコ（グーグルの老化研究プロジェクト）、ライフサイエンス（グーグルのヘルステック研究グループで現在の名称はベリリー）、そして新たに精鋭化されて生まれ変わったグーグルなどが含まれる。

創業以来のグーグルの目標は「世界の情報を組織化し、どこからでもアクセスでき、利用できるようにすること」というものだ。このような目標は、検索の会社にはよく似合っている。しかし、同社はその目標とは方向性の異なるプロジェクトにも投資を続けてきた。

グーグルの創設者たちや型破りな従業員たちの際限のない好奇心が、長年のうちに同社をさまざまな方向に押し広げた結果、グーグルは手に負えないほど大きな科学的プロジェクトと資本主義の混合体になっていたのだ。

アルファベット体制で、創設者たちはグーグルを再び本来の目標に集中させ、科学的プロジェクトは、より大きなアルファベット傘下の企業に分割することにした。

この新しい組織では、ペイジとブリンがアルファベットのCEO兼社長となり、それまで**ユーチューブ以外の同社製品すべてを担当していたピチャイがグーグルを指揮することになった**[*1]。

「この新しい組織構造によって私たちは、グーグルのなかにある非常に大きなチャンスに心ゆくまで集中できるようになる。この構造のカギとなるのは、サンダー・ピチャイだ」とペイジはブログ記事で書いた。「私たちと役員会にとって、サンダーがグーグルのCEOになるべきときなのは明らかだ」

アルファベット体制への再構築は、グーグルの外部にとっては混乱の種でしかなかったが、内部ではその動機は明らかだった。モバイルウェブが急速に時代遅れになっていた当時、伝統的な検索は役に立たなくなってきていたのだ。

eマーケターによれば、2017年までに、米国でのモバイルインターネットの利用時間の89・2パーセントがアプリになり、ブラウザでのオープンウェブの利用はたった10・8パーセントになると言われていた。[14]

一方、最初はみんなの笑いものだったアマゾンのAIデバイスのエコーは、アシスタントのアレクサを友だちとして育った人たちからの質問に答えられるまでに進化しつつあった。質問に答えることはグーグルの得意分野だが、アマゾンがそこに侵略しはじめていたのだ。

グーグルには、この状況で何もしないという選択肢はなかった。**音声コンピューティングとモバイルアプリが人間とインターネットとの対話の方法を変える時代に存在感を維持するため、グーグルは再び変革する必要があった。**

アルファベット体制での再組織化は、大きな賭けとなった。

創業者たちからグーグルを引き継ぐとすぐ、ピチャイは社員たちに「AI第一主義」の導入を指示し、製品にAIを組み込むチャンスを逃さないようにと告げた。

「彼は、グーグルの技術や製品のコミュニティ全体を刺激して『大きな変化がまさにいま起こっている、注目すべきだ』と考えさせようとしました」とディーンは話す。「彼の言葉によって、まだこの方向性に沿って考えていなかったチームの考え方が変わりました」

グーグルのコラボレーションの文化は、ピチャイの指示が迅速に根づくために役立った。ディーンのチームが別のチームのためにAI技術を構築すると、その話がすぐに伝わってほかのチームからのAI技術への要望が高まり、新たな申し込みが次々と続いたのだ。

たとえばグーグルの翻訳チームがAIモデルを使って、ある言語で書いた文が別の言語ではどうなるかの予測をすると、ほかのチームがこぞってそれに注目した。

そしてGメールチームが、同じモデルを使ってスマートリプライ機能を生み出した。スマートリプライは、Gメールで電子メールを受け取ったとき、返答に使える短いAI生成文を提案する機能である。

グーグル内部でのAIの導入が始まると、同社の製品はより賢くなり、連携が進み、AIと対話する人間についての理解も深まった。

グーグルフォトズは抱擁などのしぐさを判別できるようになり、しぐさをカギに写真を検索できるようになった。Gメールはグーグルカレンダーと航空便の予約情報を共有するようになり、グーグルカレンダーはその情報を自動的に記録するようになった。

また、グーグル音声検索はキーボードで検索ワードを入れるのではなく、自然言語による質問に答えられるまでに進化した。

これらの進歩によって、グーグル社員の想像力はさらにかき立てられた。チューリッヒのグループはもっと会話形式に近い検索方法を研究し、別のグループはグーグルをもっとカスタマイズして利用する方法について考え、ハードウェア部門の注目はスピーカーに向かった。

このようにしてグーグルは進歩を始めたが、この段階ではまだ一体になっているとはいえない状態だった。

グーグルの偉大な再創造

２０１６年２月のはじめ、サンダー・ピチャイは笑みを浮かべながらマウンテンビューのチャーリーズカフェの演壇に上がった。新しいＣＥＯとして初の年次演説のあいさつの前に、セルゲイ・ブリンがいたずらっぽく、ピチャイが全社にグーグルの２０１６年の戦略をモダンダンスで説明しますと、満席のカフェテリアを笑わせたからだった。

集まった社員はモダンダンスのパフォーマンスでも喜んだだろうが、ピチャイはもっと穏やかな方法をとった。演台にもたれ、いつもの大学教授のような落ち着いた調子で意見を述べたのだ。

彼はまず、グーグルの現状を簡単に要約した。グーグルの検索の50パーセント以上がいまやモバイル経由であり、その多くは音声による。検索はモバイルでもまだ重要だが、デスクトップでの想定ほどではない。

ピチャイがそこで表示したスライドには、一方に並んだグーグル製品のロゴから、「アシスタント」という言葉に向けて矢印が引かれていた。

ピチャイの言葉によれば、グーグルのその年の目標は、主な製品を結合するデジタルアシスタント構築のためのコラボレーションだった。このアシスタントは、グーグルでのユーザー体験をシームレスでそれぞれの人にカスタマイズされた会話に変える。

ユーザーは音声で、職場までどのくらいかかるか（マップス）、アマゾンからの荷物がいつ届くか（Gメール）、次の会議はいつか（カレンダー）などを質問できる。おもしろい動画（ユーチューブ）や旅行の写真（フォトズ）、最近のニュース（グーグルニュース）などを見ることもできる。もちろん、ウェブ検索をすることもできる。

グーグルアシスタントこそ、変わりゆくインターネットへのグーグルの回答だ。

eマーケターによればその年の末までにスマートスピーカーの72パーセントを占めるようになるというアマゾンのアレクサと、それに続くアップルのシリに対するグーグルの答えが、グーグルアシスタントになる。

マップスやGメールといった、すでにユーザーの日常生活に張り巡らされているグーグルのサービスのおかげで、グーグルアシスタントには競合製品を凌駕できる可能性がある。アシスタントを通してユーザーはグーグルと話すことに慣れ、それまでは検索バーにキーボードから打ち込んでいた質問を声に出して聞くのが日常になる。またグーグルアシスタントは、ユーザーをグーグルや他社が開発したアプリとつなぐ存在なので、グーグルはこれまでどおり世界の情報を組織化して、ウェブ上に限らずあらゆる情報を活用していける。

グーグルアシスタントは、大規模なコラボレーションを必要とする壮大な変革だ。期待どおりにアシスタントを実現するには、マップス、Gメール、カレンダー、フォトズ、検索、ユーチューブなど、数多くのグーグルの製品チームがそれぞれのサービスをたんねんに組み合わせ、これまでやったこともない方法で職域を超えた協力をしなければならない。

そしてAI技術がすべての基盤となって、ユーザーがこれらの製品に話しかけ、また製品が返答できるようにする。

以上のようなアシスタントのコンセプトを提示して、ピチャイは全社からの貢献を期待していると明言した。

「今年最優先すべきなのはこれだ、と言いたい」

だがアシスタントのプロジェクトは、スムーズに始まったとはいえなかった。

「アシスタントプロジェクトは、グーグルの社内コラボレーションの多くと同じように、最初はかなり混とんとしていて、だいぶ骨が折れました」とグーグルのマップス担当上級副社長ジェン・フィッツパトリックは話す。「誰が何をやるか、ある段階では何を優先させるべきかといった点について、常に全員が同じ意識というわけではなかったんです」

当初の混とん状態を解消するため、ピチャイはグループや部門を超えたアイデアの流れを邪魔している障壁を取り除いた。さらにアシスタントチームをとりまとめ、時には25人以上にもなる会議で、何を構築しているのか、誰が何をつくるのか、何を優先させるのかについて、意見をまとめる力となった。

全員の意見が一致すると、ピチャイはグーグルでクロームを開発した際のやり方をもっと幅広く適用した。すなわち、**まず明確な枠組みを設定したら、自分自身は支援に回り、社内で協力して開発するに任せた**のだ。

「サンダーのアイデアだけにとどまらず、もっと多くの人々の集合知を取り入れて『どうやってこの壮大なアイデアをもっとずっと具体的で明確なものにしていけばいいか』について話し合う必要がありました」とフィッツパトリックは言う。「まさに幅広い、部門を超えたコラボレーションの領域に足を踏み入れたわけです」

この変革のスタイルは、その直前のグーグルの大規模な全社プロジェクト「グーグルプラス」とはまったく違うものだった。グーグルプラスは、比較的中央集権型の方法を採用して失敗した。

「アシスタントチームのメンバーが各部署に戻って『求めるものはこれこれだ。だから、みんなにはAとBとCをしてほしい』と言うのではなく、**すべてのチームでボトムアップ型に新しい考えを出して、それをまとめあげた**」と話すのはグーグルの元製品マネジメント担当幹部のシバ・ラジャラマンだ。

「それが、グーグルでのコラボレーションの秘密だ。ボトムアップ型のチームが集まり、社内全体からの注目によってプロジェクトを増強できると、プロジェクトは実にうまく回る」

グーグルのコラボレーション力

そこからは事態が急速に進んだ。**グーグル社内のコミュニケーションツールは、プロジェクトの各チームが新しい可能性に気づいたり、コラボレーションすべき相手を見つけたり、情報を共有したりすることに役立ち、アシスタントの開発を速めた。**

「おたがいに何も隠さなかった」とアシスタント担当副社長のニック・フォックスは話していた。「アシスタントプロジェクトで起こっていることは秘密ではなかった。よく知られ、よく理解されていたから、どうすればもっと調和できるかが誰にでもわかった」

それぞれのサービスをうまく調和させるために作業する一方で、各チームはアシスタント自体についての新しい課題にも取り組んだ。

顔があったほうがいいか、名前はグーグルアシスタントにするか、それともほかの名前にすべきか、ユーモアのある受け答えをさせるべきかなどを論じあった。

また、子供が聞いていることがわかっているときには、微妙な話題にどのように返答すべきか、画面上で表示する場合よりも慎重さが必要か、といった点も取り上げられた。

グーグルアシスタントの開発にはさらにもうひとつ、スマートスピーカーという新機軸がからんでいた。ユーザーがグーグルと常に会話するには、電話を持っていないときでも、どこにいるときでも、話しかけることができなければならない。

そのため、アシスタントを組み込んだスピーカーが計画に追加された。その名はグーグルホームだった。

だが**グーグルホームは、アシスタントプロジェクトの地雷になりかねなかった。**

ハードウェアは一般に、トップダウン型の計画で製造される。ある程度の数の製品を年末商戦に間に合うように製造するため、一定数の部品を特定の日付までに発注しなければならない。それ以降は、そのハードウェアに対してたくさんのアイデアを入れる余地はほとんどない[15]。だからハードウェア事業は通常、トップダウンになるわけだ。

しかし、ホームはほかのハードウェア製品とは違った。単にアシスタントを提供するための機器にすぎなかったのだ。スピーカーの品質は重要だが、実際の魅力はその内部の音声にある。音声こそが世界の情報を調べて、知りたいことを知りたいときに正確に伝えるものだ。

そのためホームチームは厳密な計画を立てて、アシスタントチームのほかのメンバーにそれを守らせるようなトップダウンのやり方ができなかった。ホームチームもコラボレーションの一員となる必要があったのだ。それが、ハードウェアの領域では標準的なやり方でないとしてもだ。

「製品を出荷するためには、もちろんハードウェアと足並みをそろえる必要があった。でも、せいぜい開発のタイミングを設定するだけだった」とグーグルのハードウェア担当上級副社長リック・オスターローは語った。「**トップダウン型の製品開発サイクルは、明らかにグーグルにとって正しいモデルではない**」

元モトローラ社長のオスターローは、そのやり方は自分がかかわってきた会社での開発方法とは違うし、伝統的なハードウェア業界のベテランはグーグルのやり方を理解できないだろうと言う。

「おそらくそれまでやってきたのとは、ずいぶん違う環境になるはずだ。ほかのハードウェア製造会社はどこも、モトローラのように階層的で、トップダウン型で運営されている。そのビジネスモデルは予測可能でなければ成立しない。方針が決められたら、みんながそれに従うことが必須だ」

グーグルでの仕事はオスターローにとって、それとはまったく異なるものだ。

ほかのグループのメンバーが指揮系統を無視して直接彼に電子メールを送ってくることはしょっちゅうだという。

「わざわざ時間をとって、製品がよくなるようなアイデアを考えてくれるのはありがたい。グーグルにはアイデアがたっぷりあって、社員たちが考え出した数多くの興味深い技術や概念から、できる限り最高の製品をつくりだそうとしている」

ひと冬アシスタントに取り組んだグーグルは、春になって、マウンテンビュー・ショアライン・アンフィシアターという地元のコンサート会場で、例年のグーグルＩＯ（インプット・アウトプット）カンファレンスを開催した。

２０１６年5月18日の早朝に、何千人もの開発者やジャーナリスト、一般聴衆がアンフィシアターに殺到し、座席はおろか周囲の芝生にまで陣取るなか、私もそのなかに座を占めていた。

開幕の映像に続いて、ピチャイがステージに上がり、すぐに大きなニュースを発表した。「我々は、検索をさらに役に立つものにしようと、常に努力しています」と彼はグーグルアシスタントを紹介して、２つのデモを見せた。

１つは、アシスタントを通して映画のチケットを購入するシーン、もう１つはアシスタントで料理の出前を注文するシーンだった。実のところ、どちらもモバイルアプリならグーグルをまったく使わずにできることだ。

ピチャイが続いて発表したニュースこそ、その日もっとも印象に残るものだった。

グーグルホームである。画面のない、手のひらサイズのスピーカーは一見どうということもない。しかしプロモーション映像が流れると、前のめりになって見入ってしまった。

その映像は、グーグルホームが音楽を流し、フライト状況を更新し、外食の予約を変更し、テキストメッセージを送り、スペイン語を英語に翻訳し、荷物の配送状況を通知し、宇宙についての質問に答え、カレンダーの予定を読み上げ、空港への経路を検索し、「行ってきます」という声に反応して電灯を消す様子を映し出していた。

映像はいささか現実を先取りしすぎていたものの、グーグルホームは明確な方向性をもった実在の製品だった。それまでは主に画面への入力が必要だったこれらの行為が、虚空に向かって話しかけることで可能になる世界になるのだ。

仕事や日常生活のなかで音声コンピューターが人間に寄り添う世界を目指し、着実に進歩する人工知能を使って、グーグルは最初の一歩を踏み出した。

音声コンピューターに話しかけることは、人間同士の会話と変わらず自然な行為になるだろう。それは検索の次のかたちであり、さらに多くの可能性を秘めている。

アシスタントプロジェクトは、紛れもなくグーグル的である。

グーグルアシスタントは、数多くの製品グループ間のコラボレーションにより、人工知能によって支えられ、社内のコミュニケーションツールの支援のもとで開発された。それが結実して、グーグルが当分第一線にとどまっていられるような製品となったのだ。

コラボレーションの反作用

2017年の晩秋、社内でもめずらしく秘密裏に進行していたプロジェクトについて、一部のグーグル社員が議論を提起した。グーグルが米国防総省に同社のAI技術の使用を認め、それがドローンによる映像の暗号解読に利用されるということだった。米国防総省の目的が、いつの日かグーグルの技術を利用したドローンによる攻撃をすることかもしれないと、グーグルの社員は自分たちの不安を経営陣に訴えた。

このやりとりのなかば、グーグルのサイト信頼性エンジニアのリズ・フォンジョンがそのプロジェクトを知り、グーグルプラス経由で全社に向けてそれを投稿した。[16] **グーグルの社員たちは、情報をオープンにすることに慣れていたので、そのプロジェクトの記録と規約の一部を見つけ出して、プロジェクトの範囲をさらけだした。**

米国防総省で「マーヴェン」と呼ばれていたそのプロジェクトは100万ドル規模で、軍が気に入る成果を出せれば、さらに規模が大きくなる可能性もあった。

マーヴェンの存在を暴くニュースは、グーグル内部の不安をかき立てた。同社の自由主義的な従業員たちは、それ以前にグーグルが保守政治活動協議会（ＣＰＡＣ）を後援したことを不安に思っていた。

今度は、同社が最終的には人を殺すことに使われる可能性のあるものに取り組んでいると知ったのだ。しかも、それがこっそり行われていたことが事態を悪化させた。

「グーグルがまた気にくわないことをしているぞと思った」と元グーグル従業員でマーヴェンに反対していたテイラー・ブレイサッチャーは話す。「内緒にされていたことが、ものすごくみんなの癇にさわったんだ」

その年の冬までにさらに不満をつのらせたグーグル社員たちは、ピチャイに向けた直接の抗議文書を書いた。[17]

「サンダー様」とそれは始まる。「私たちはグーグルが戦争ビジネスに参入するべきではないと信じています。そのため、プロジェクト・マーヴェンを取り消すよう求めます」

その文書はグーグルの社内コミュニケーションツールですぐに広まり、その日のうちに1000人もの従業員が署名した。自動的な戦闘行為のためのＡＩの利用に反対する国際文書[18]に署名したことのあるジェフ・ディーンには、当然のことだったようだ。

「多くの機械学習研究者たちは、自分たちの研究成果がどんな種類のものに利用されるのが望ましいか、確固たる見解を持っています。その多くは、自動兵器が開発されるのを望んでいません。むしろ、それは世界にとって危険な方向であると考えているのです」

米国防総省との取引を仲介していたのはグーグルクラウドのチームだった。

この部署を当時率いていたダイアン・グリーンは、次のTGIFで抗議文書を取り上げ、準備不足だったと認めた。

「ジャコバン・マガジン」のインタビューに答えて、あるグーグル社員は、そのミーティングで「国防総省を辞めて、こんな種類の仕事をせずにすむようになったはずなのに」という発言があったと語っている。[19]
「どうしてこのプロジェクトが受け入れられないのか、このQ&A以上に説明してくれるものがあるだろうか」
それでも事態は紛糾した。**マーヴェンに反対するメンバーたちがミームジェンでグループをつくり、抗議文書にはさらに何千人もが署名し、10人以上の社員が退職した。**[20]
そして「ニューヨーク・タイムズ」に抗議文書がリークされ、証拠としてグーグルクラウド主任AIサイエンティストのフェイ・フェイ・リーが送った電子メールの引用が新聞の一面に掲載された。[21]

リーはこの電子メールでマーヴェンに関して、次のように書いている。

「どんなコストを払っても、ＡＩについての言及やほのめかしを避けるように。ＡＩの軍事利用は、おそらくＡＩに関するもっとも危険な話題のひとつだ。いや、何よりも危険な話題かもしれない。これは、グーグルになんとかしてダメージを与えようとしているメディアにとって格好の餌だ」


グーグルのコラボレーションの文化とそのためのコミュニケーションツールによって、不安がどんどん広がっていくのを見たピチャイは、また「聞く」という対応をした。


グーグルは当時、ＡＩの開発方法を管理するフレームワークを開発中だった。社員たちがマーヴェンに対する不安を示すと、ピチャイは彼らをその開発プロセスに組み込んだ。

グーグルがＡＩの軍事利用に対してどんな態度を示すべきかだけでなく、ほかの倫理的問題のある状況についても社員たちの意見を求めた。

「たくさんの入力を得ることにしたのはピチャイの提案でした」とグーグル地球規模問題担当上級副社長兼主任法務責任者のケント・ウォーカーは話す。「彼はこの問題の考え方について、グーグル全社から広く意見を集めたかったんです」

そして、グーグルは世界中のオフィスでタウンホールミーティング（経営陣と社員が一堂に会する会議）を何度も開いた。

そこで取り上げられたテーマには、医療用ＡＩ技術はどの程度の透明性を持つべきか、人間が介入すべき場面と機械が自動処理しても問題ない場面の区別について、また人間に損害を与える技術を開発するのは問題がないかどうかなどがあった。

「これらのテーマがかなり難しい問題であることは共通認識でした。ＡＩは急速に開発が進んでいる技術です。どのようにかかわるべきか、何かをする前に確認しておくべき要素がどんなものかについて、注意深く、よく考えたいと思っています」とウォーカーは話した。

「多くの人が特定の問題に注目しているという事実があると、それに正しく対応しているかどうか、あらゆる人の意見を聞いているかを確かめたくなります。

しかし、根本的に私たちは長期的にこの会社にいるのです。社内の誰もが今後何年間も続ける仕事のために、正しい基盤を設定しているかどうか確かめたいと考えています」

タウンホールミーティングにはそれぞれ何百人もの社員たちが出席し、活発な議論が繰り広げられた。

「この会議はよいものだったと思います」と話すのは、結局会社の方針に懸念を抱いたために退職したブレイサッチャーだ。「最後の週に開かれたミーティングのとき、『もう退職することは決まっているから、辞めたいという気持ちは変わらない』と思って参加していました。でも、節度ある質問と本当によい議論があったことに感銘を受けました」

ウォーカー率いるチームはこれらのミーティングでの入力をまとめて、おおよその基準を設定し、グーグルのＡＩ責任者や問題を指摘した社員たちに検討を求めた。

それからピチャイにその基準を示してフィードバックを得て、修正を行った。それは、ピチャイが十分なものになったと感じるまで続いた。

２０１８年６月７日、**ピチャイはグーグルが従うフレームワークとなるＡＩ原則を発表した。**[22] グーグルのＡＩ原則は、「社会的に有益であること」「不公平な偏見を生んだり強化したりするのは避けること」「一般に対して説明責任を負うこと」など、立派だが当たり前の目標を含んでいた。

しかしグーグルはさらに、同社が取り組まないＡＩの適用分野もあげており、そこには「全般的な損害を引き起こす、もしくは引き起こすと思われる技術」や「主な目的または実現が人間に被害をもたらす、もしくは直接的に被害を促進することのある武器その他の技術」などと記されていた。

グーグルに対して猛烈に批判的な層には、このような言い方はどうにも優柔不断に感じられた。また、グーグルがこの言葉を今後どのように解釈するのかも不明瞭だ（たとえば「全般的な損害」とはどういう意味かなど）。

しかしマーヴェンに対する抗議と、グーグル自身のコラボレーションツールを利用して表現された経営方針への不満には十分に応えていた。そしてグーグルは、米国防総省との契約を更新しないことを発表した。[23]

マーヴェンの一件は、グーグル内の意見の相違を示すはじめての例ではなかった。グーグルの従業員たちが反対意見を表明するのはしょっちゅうだからだ。

しかし**この一件は、グーグルのコミュニケーションツールが抗議のために、これまでに比べてずっと強力に利用できることを示した。**そして案の定、さらに大きな問題がすぐそこに控えていた。

グーグル社員の反乱「ウォークアウト」

マーヴェンへの抗議から数カ月後、世界中のオフィスで約2万人のグーグル社員が仕事を放棄した。ウォークアウトと呼ばれることになったこのストライキが実施されたのは、2018年10月に「ニューヨーク・タイムズ」の記事が出てから1週間後のことだった。[24]

ウォークアウトの発端となったこの記事は、アンドロイドの生みの親アンディ・ルービンが性的不正行為の告発を受けてグーグルを退社した際に、同社が退職金として9000万ドルを支払ったこと、さらにルービン以外にも同様の行為で告発された人をグーグルが擁護していたことを報じていた。

マーヴェンを例外で、グーグル社員たちの不満がより広い政治的な動きになって公の場に飛び火したためずらしいことだとして片づけられないのであれば、ウォークアウトは同社が新たな領域に入っていることを明日にする出来事だった。

グーグル社員たちが革新的な製品を創造することを可能にしてきたコミュニケーションツールが、今度はその裏面を見せたのだ。コミュニケーションツールの存在するところでは必ず、反対運動の分散化と分極化が起こってくる。グーグルはまさに、それを自身で経験した。ウォークアウトのはじまりは、タハリール広場でのアラブの春や、ウォール・ストリート占拠、ウィメンズマーチなどの「ネットワーク型」の抗議活動とよく似ていた。つまり、それまで知られていなかった当事者による、ソーシャルメディアでの突然の活動から始まったという点だ。

このストライキの標的は会社であって、独裁者でも不正な政治システムでもなかった点は異なるが、事の起こりには同じような特徴がたくさんある。

「ニューヨーク・タイムズ」の記事が出ると、多くのグーグル社員が憤慨した。訴えによると、ルービンは同僚と不倫関係を結んでいたが、その相手にオーラルセックスを強要したという。訴えを否定したルービンは、多額の退職金とラリー・ペイジからの激励のあいさつ状とともに「英雄として」同社を退社した、とタイムズは書いている。

ペイジはあいさつ状に、こう書いている。

「アンディの次の仕事での成功を祈る。彼はアンドロイドで本当に称賛すべきものをつくり上げ、10億人以上のユーザーを幸福にした」

この記事を読んだとき、ユーチューブ製品マーケティングマネジャーのクレア・ステイプルトンは打ちのめされた。彼女にとって驚きだったのは、起こった事実だけでなく、それがグーグル内で起こったということだった。

「よりよいものを求める文化のなかでそんなことがあったなんて、私は本当にショックでした」と彼女は語った。

ステイプルトンはその日ずっと、社内用のメーリングリスト「モマ」を眺めて過ごした。そこでは、同僚たちが匿名でハラスメントや人事報告プロセスの機能不全、差別などの体験をシェアしていた。一日中これらのメッセージを読んで、ステイプルトンは行動に出ることを決めた。そしてモマグループへの電子メールで、彼女は「ニューヨーク・タイムズ」の記事について説明してから、集団行動のアイデアを提案した。[25]

「集まった力をどう利用したらいいだろうか……。もし結束できたら、何ができると思う？ウォークアウト、ストライキ、それともサンダーへの公開書簡？グーグルの女性とその仲間たちは、現在心から憤慨している。どうしたらその怒りを制御して、実際の変化を引き起こすことができるだろうか」

その翌日、ステイプルトンは集団行動を組織するために、新規のウィメンズウォークグループを立ち上げて、それをモマグループで通知した。

「みんながなだれをうってグループに登録して、メーリングリストで自分たちの怒りを大々的に堂々と語りだしたので、みんな同じように思っているんだとすぐにわかりました」

グループのメンバーたちが経営陣への要求を提案しはじめると、メンバーの1人がそれを記録するためのグーグルドキュメントを作成した。

まさにグーグル式のやり方で、同時に何人もが自分のアイデアを追加したり、ほかの人のアイデアにコメントをつけたりして、そのドキュメントは埋まっていった。

ドキュメントとメーリングリストのほかにも、グーグル内部向けのサイトを利用して同僚たちに最新ニュースを提供し、グーグルスプレッドシートに連絡先情報を記録し、この活動は急速に拡大していった。

コラボレーションのよい面と悪い面

このときにはすでに大勢になっていたウォークアウトの調整役たちは、これらをすべてグーグルのツールでオープンに実名で行った。

「グーグルだからこそできることだと心から認めていました」とステイプルトンは話す。「グーグルの文化によって、私たちがこのような活動をする余地ができたことは無視できません。私たちはグーグルのメーリングリストで議論することに慣れているし、グーグルの内部メーリングリストでは、いつも社員たちの不満が表明されているんです。それはグーグル文化のよい面です」

2018年中間選挙が近いことと運動の盛り上がりに後押しされ、調整役たちはウォークアウトを実施するなら、ゆっくりしている余裕はないと考えた。

そこで、ステイプルトンがグループをつくってから1週間も経っていない、その週の木曜日にウォークアウトを呼びかけることにした。

「すばらしいコラボレーションでした。特に共通の目標に向けて協力するときには、グーグルの社員たちがどれほど第一級で手際のよい人たちだったかを思い知りました」

これに対してマーヴェンのとき同様、ピチャイは「聞く」という対策をとった。

ウォークアウトの前に従業員に向けて出された文書では、彼は前回のTGIFで会社側が不十分な回答をしたこと（グーグルの経営陣がかたちだけ「残念に思う」と述べて、すぐグーグルフォトズのプレゼンテーションを始めた）を謝罪し、不適切なふるまいについてより厳しい基準を設けることが大事だと思うと語った。

続いて、従業員に対してウォークアウトの間に必要な支援を受けられること、そのアイデアを重く受け止めていることを述べた。

ピチャイはこう書いている。

「あなた方からは、私たちのポリシーを改良し、私たちのプロセスを前進させる方法についての建設的なアイデアが提案されています。私はあなた方からのフィードバックを行動に移すことができるよう、すべてのアイデアを受け止めています[26]」

ウォークアウトの日までに、ステイプルトンのグループは約2000人にふくれあがり、彼女も調整役の仲間たちも、参加者が何人になるのか予測できなかったという。ウォークアウトはすべてのオフィスで現地時間の11時に予定され、それがウォークアウトの「ローリング・サンダー」[*訳注1]パレードの舞台となった。[27]

最初のウォークアウトはアジアで、日本やシンガポールなどで大勢が参加した。それからヨーロッパ、ニューヨーク、マウンテンビューへと続いた。その日の終わりまでには、ステイプルトンのグループの人数の10倍にものぼる2万人が参加した。

それぞれの勤務地で、グーグル社員たちが不当な扱いを受けた体験を声をあげて告発した。すべてはあまりにすばやく起こったために、公式な許可をとる暇もなかった。

「まだ何も成果がなかったけれど、それでも興奮と集団の力だけですごく盛り上がりました」とステイプルトンは言う。「これほどの大事業、大切なことについての、これほど大規模な表明だったんですから」

ウォークアウトはどちらの側にとっても、満足できる成果を残さなかった。グーグルの経営陣は自社の従業員たちに面目をつぶされた。それにこうなっては、不安になった社員たちが雇用主を挑発していることを認めないわけにはいかなかった。

社員たちは、幅広い反トランプ活動によって活性化していて、それがウォークアウトとなり、さらには「CPAC」やマーヴェン、ダモアへの反発へと続く伏線となっていた。ウォークアウトを行った側について、彼らの要求で実ったのは1つだけだった。従業員に対する示談強要の条項撤回である。[28]

ウォークアウトは、ウォール・ストリート占拠やウィメンズマーチと同じように、抗議が分散されていたことで要求が多様化し、従業員の代表を取締役会に出席させろという要求まであがっていた。そして今後も抗議活動をすると脅迫する以外には、その要求を実現させる力に欠けていた。

ステイプルトンに、ウォークアウトは、どうすればウォールストリート占拠と同様、ほとんど成果を上げずに立ち消えになる運命を避けることができたかと尋ねた。

彼女の答えは「それは重要ではない」だった。

「私たちは何かまとまったものになろう、足並みをそろえた活動をしようとしていたわけではありません。メーリングリストのメンバーは2000人います。ウォークアウトの参加者は約2万人です。

私たちはそれが誰なのかも知らなければ、こちらから連絡する方法もありません。ある意味では、これが進行中の運動であるといえる実体は存在しないのです。新しい問題が起こったときに、この運動がまた盛り上がるとは思えません」

残された課題

ほとんどの抗議行動、なかでもソーシャルメディアを原動力とした分散型の抗議活動と同様に、**グーグルでの抗議行動は混乱に終わった。**

マウンテンビューでのインタビューでケント・ウォーカーに、グーグルはこの行動から得るものはあったのかと尋ねた。

「広く公開性とフィードバック、それと従業員の取り組みの文化があってこそ、私たちは変革を生み出せます」と彼は語った。「私たちはこの文化を大事にしています。相対的にそれがうまく機能するかたちを見つける必要があるのです」

ウォーカーがほのめかしたのは、グーグル内部のコミュニケーションネットワークの機能を考え直しているということだった。この直後に、同社は政治的話題を推奨しないというポリシーを発表した。

さらに、ステイプルトンとともにウォークアウトを組織したメレディス・ウィテカーによると、グーグルが2人に報復措置をとったため、どちらも同社を去った[29]。

そしてこの出来事の後、2018年末には、ピチャイと彼の経営チームに対するグーグル社員の信頼が二桁の数字で下落した[30]。

グーグル社員たちの行動、さらにグーグルのそれに対する対応は、現在の社員や元社員に10万人規模になっても同社の文化を維持できるのか、という疑いを抱かせることになった。

ウォークアウトの後、グーグルの経営陣もまたこの疑問に取り組んだ。ピチャイと彼の腹心たちは、TGIFを削減したり活動家を解雇したりすることで、同社の公開性を後退させた。

グーグル文化のよい点を保ちつつ、論争や抗議を減らそうと意図することは理解できる。しかし、両方をとるのは難しい。

最終的にピチャイは、社内の透明性を維持して、団結した従業員たちの不満に対処していく道をとるか、それともグーグル文化をクローズドなものにして、その結果を受け入れるかを選ばなければならないだろう。

グーグルにとって、将来においてより賢明な決定を下すためには、公開性と議論を増すことこそが大切だ。公開性は、グーグルの集合精神を保つことにもなるだろう。

時に制御するのが難しいとしても、その集合精神こそが、グーグルがアシスタントのように複雑なプロジェクトに向けて協力して取り組むことができる理由なのだ。

グーグルのコミュニケーションツールと、それにともなう公開性がなければ、グーグルの名が検索エンジンの代名詞になることはなく、ライコスやアルタビスタ、アスク・ジーブス、エキサイトなどの検索の世界を騒がせたが、結局は受け入れられなかった企業のひとつになっていたかもしれない。

［＊1］ペイジとブリンは2019年にアルファベットの役職を降り、ピチャイがアルファベット全体を掌握した。

［＊訳注1］米国首都ワシントンで毎年行われる、行方不明の米兵に敬意を示すバイクの大行進。ここでは、サンダー・ピチャイの名前とパレードをかけている

第4章

ティム・クックとアップルへの懸念

Apple

アップルが特別な扱いをしている人物に、マルケス・ブラウンリーがいる。ブラウンリーはユーチューブのスターで、1000万を超える登録者が彼の歯切れのよい最新テクノロジーの製品レビューを視聴している。

現代の流行の仕掛け人ブラウンリーは現在、一般社会におけるテクノロジー企業のイメージをかたちづくる新しいインフルエンサーである。

44年間にわたってしっかり鍛えあげられたアップルのマーケティング部門は、それをよく理解している。ブラウンリーはアップルの製品発表イベントの常連ゲストであり、あがめたてまつられている同社のエンジニアリング担当上級副社長のクレイグ・フェデリギなどの経営トップたちと会うことも許されている。

その代わりブラウンリーは、肯定的なレビューでアップルに大きな見返りを与える。それが、アップルがテック業界のトップに君臨している間に当たり前になっていた関係性だった。

アップル衰退の兆し

それからすると、アップルのホームポッドを取り上げたブラウンリーのレビューは驚きだ。[1] 2018年2月、ブラウンリーはこの新しいスマートスピーカーをレポートした。

ホームポッドは、グーグルホームやアマゾンエコーに対する待望のアップルからの答えだった。ブラウンリーはそれを9分40秒間、ひたすらこき下ろしたのだ。

ブラウンリーのレビューは、無難にホームポッドのハードウェアの紹介から始まった。彼は、そのつくりのよさやボタン（音量の調節用）、電源コード、質感、高精度なサウンドをほめあげた。

「最近、いろんなスマートスピーカーでいろんな音楽をたくさん聴いたけど、実のところこれが一番音がいい」

しかしそこで、風向きが変わった。ブラウンリーいわく、ホームポッドのような製品で一番大事なのは何ができるかだが、ホームポッドにはろくにできることがなかった。

ホームポッドができる簡単なこと、たとえばアップルミュージックで音楽をかける、一番最近のテキストメッセージを読み上げる、天気予報を伝えるなどの点にきちんと触れてから、**ブラウンリーはたくさんの欠点をあげつらっていった。**

「複数の人の声を判別できない」「ほかのホームポッドと同期できない」「デフォルトの音楽プレイヤーをスポティファイに変えられない」など、欠点の指摘はさらに続いた。

「オンラインで商品を購入できない。テイクアウトの注文もできない。ウーバーやタクシーを呼べない。カレンダーの予定を読み上げさせることも、カレンダーに予定を登録することもできない。同時に複数のタイマーをかけることができない。音声で電話をかけることができない。レシピを探すことができない。『アイフォーンを探す』を使えない……。まだまだ続くよ。ほかのスマートスピーカーと比べてホームポッドだけ、できないことがものすごく多い。だから結論として、ホームポッドはダメな製品だ」

ブラウンリーは、混乱と失望の混じった調子で判決を下した。

「正直なところ、サウンド品質はさほど変わらないから、もっといろんなことができるもっとスマートなスピーカーを買ったほうがいいだろう。いま大枚をはたいてホームポッドを買って使っても、シリにできないことがさらに増えるだけだ」

ここまでくれば、ブラウンリーがホームポッドにどうしてそんなに困惑したかがわかったに違いない。この残念なデバイスは、アイデアをトップダウンで伝えるような古い仕事のやり方が、いまだに残っているアップルの企業文化の産物だった。

ティム・クックのアップルでは、エンジニア思考はまったく見られない（クック自身はエンジニアだけれども）。**民主的な革新はほとんど推奨されず、人間もアイデアもヒエラルキーに制約されていて、コラボレーションは秘密主義に妨げられている。**

その結果は予想どおりで、アップルはトップから与えられた単純なアイデアを磨きあげていくのは大得意だが、会社全体から集めたアイデアをもとに、新しく創造性にあふれた製品をつくることには苦労している。こうして、現在のアップルという企業について探りたいというもっとも重要な質問が生まれる。

アップルは急速に変化するビジネスの世界で、企業文化全体を変えずにこのままやっていけるだろうか？

アイフォーンの売上げが低調になり、コンピューティングの新時代が始まろうとしているなかで、アップルは柔軟性を取り戻さない限り、外見は格好よくても中身はいいとはいえないホームポッドのような存在になりかねない。

アップルに根付く改良の文化

アップルで22年間働いてきたベテランのロビン・ダイアン・ゴールドスタインは、数年前サンフランシスコのホテルである会議に出席した。少し早く着いてコーヒーを注ごうと、会議室の壁際のテーブルでマグを手にとった瞬間、いらだちを感じた。

「コーヒーカップの持ち手に指をかけたとき、その内側に鋳型の跡を感じたんです。とっさに、これのデザイナーやメーカーは、なんであと30秒かけて取っ手の内側をなめらかに仕上げなかったのかと、イラッとしました」

次に思ったのは？

「スティーブのこんちくしょう」と言って続けた。

「あんたのおかげで、こんなふうになっちゃったという感じ」と彼女はほほえんだ。「ほとんどの人は私みたいに考えないでしょう。気づくことすらないと思う。取っ手の内側にちょっとひっかかりを感じるとか、そこに筋があるなと思うかもしれないけど、大して気にしないはず。けれどもアップルで過ごしたために、私は『いや、これは問題だ』と考える。目に見えないほんのちょっと触るだけの部分でも、全体的な体験の一部なんです」

ゴールドスタインのエピソードは、アップルの運営方法の一端を表している。

ジョブズが生きていたころは、アイデアを思いつくのは彼で、社内のほかの人々の仕事はそれを改良して、鋳型の跡みたいなものが製品のどこにも残らないようにすることだった。**アップルの文化は実務優先型、すなわちトップから与えられたアイデアを洗練させるようにできていた**（そして、いまでも変わっていない）。

「ビジョナリーで、独裁者だった」とある元アップル社員は、ジョブズの2つの面についてこう言った。
「独裁者がすべてを仕切っていた。**彼にはアイデアがたくさんあった。彼は非常にダイナミックでエネルギーにあふれていた。**会社や製品についてのビジョンのもと、大勢の社員たちを率いていた。ジョブズは、製品がどうあるべきで、人々が製品をどう使うべきかについて、自分が誰よりもよく知っていると考えていた。そういう人だったから彼にはカリスマがあり、社員たちが従ったわけだ」

アップルはいまだに、ジョブズが亡くなる前に考え出した2つの看板商品、つまりアイフォーンとマックを改良しつづけている。アップルはこの2つをおおいに改良した。

アイフォーンとマックはさらに薄く、高速

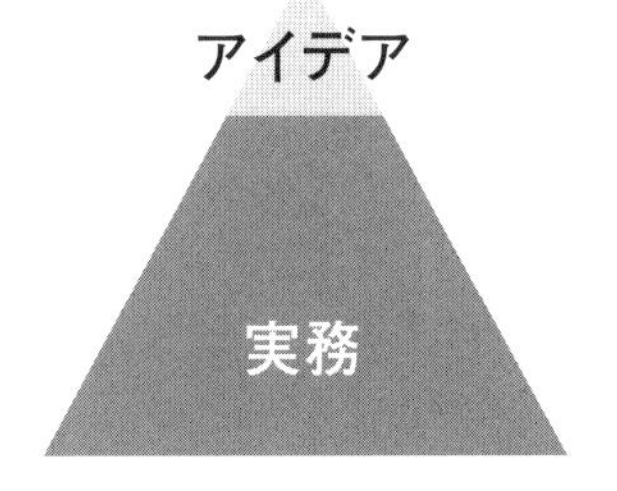

になった。アップルウォッチ（アイフォーンを持っている人向けの時計）やエアポッド（アイフォーンを持っている人向けのイヤホン）といったウェアラブルデバイスで、さらに便利になった。顔認証やアップルペイといった便利な機能で、アイフォーンの使い心地はさらによくなった。アップルほど既存の資産を活用している会社はない。

しかし、これらのデバイスを超える創造については別の話だ。ホームポッドや自動運転車の自社製造など、野心的な新製品をつくろうというアップルの賭けは失敗しつづけている。

そして**その原因は、ジョブズ時代の遺産であるアップルの改良の文化なのだ。**

改良者的な発想の限界

現在はジョブズに代わって6名の経営陣がアップルを経営し、彼らがアイデアを出して社員たちが実務を行っている。

そのなかでティム・クックCEOは控えめな性格だが、豊富な経営経験がある。ソフトウェアおよびサービス担当上級副社長のエディ・キューは非常に個性的だ。フィル・シラーは製品マーケティング部門をパワフルに率いているようだ。COOのジェフ・ウィリアムズはデザインを統括している。エンジニアリング担当上級副社長のクレイグ・フェデリギは有能で洗練された人物だ。最後に、スコットランド人で元グーグル社員のジョン・ジャナンドレアが機械学習とＡＩ戦略を担当している。

元バーバリーＣＥＯのアンジェラ・アーレンツもアップルの小売部門トップとして経営陣の一員だったが、２０１９年に同社を退いた。[2]同じく、きわめて優秀でちょっと浮世離れしたところのあるデザイン責任者のジョニー・アイブも、２０１９年に退社した。[3]

アップルでは、デザイナーがこの役員たちの注文を実現する第一線の従業員である。**アマゾンやフェイスブック、グーグルではエンジニアが君臨しているが、アップルではデザイナーが神なのだ。**

ほとんどの企業では、デザイナーは中身のできているものの外見を整えるのが仕事だ。だがアップルでは、デザイナーが製品の見かけや使い心地を決定してから、エンジニアや製品マネジャーがそれを実現する役回りである。

それが技術的にどんなに難しくてもおかまいなしだ。

アップルの製品開発プロセスにおけるデザイン重視主義は、同社が主力デバイスを改良しつづける原動力となっている。そのためアップルのデザイナーは、プロジェクトの途中で交代しないのが通例だ。デザイナーはプロジェクトの開始から終了まで通しで担当する。

それによって「そこそこの製品」をつくる会社でよく起こるような、責任転嫁の問題を最小限に抑えられる。

「ジョニー・アイブのおかげで、メンバー全員が単によいという程度にとどまらないデザインとは何かを理解している、信じがたいほど才能にあふれたチームができた」と10年以上アップルでデザイナーを務めるダグ・サッツガーは語った。

「よいデザイン、よいエンジニアリング、よい製品、そして企業運営というものをみんなが理解している。その一つひとつが、ユーザーが最終的な製品で出合う体験になる」

サッツガーや同僚たちは製品製造プロセスに深くかかわっているため、中国の製造ラインを定期的に訪れて、製品が基準を満たしているかどうかを確認している。西海岸に住む彼の同僚は年間240日も中国で過ごし、なかには中国に引っ越したメンバーもいる。

その伝統は現在まで続いている。2019年にリークされたユナイテッド航空の文書では、アップルは毎年、サンフランシスコ――上海間のフライトに3500万ドルを費やしているという[4]。

それに続いて航空運賃が多額なのはフェイスブック、製薬会社のロシュ、グーグルだが、3社を合計しても年間にユナイテッド航空の全フライトに使っている金額は3400万ドルちょっとにしかならず、アップルの上海行きの分にも達していない。

アップル内ではデザイナーがこのように崇められているため、社員たちはデザイナーと話す前に十分に準備し、たとえば製品を見せる角度といったところまで検討することもある。「詳細なレベルまで準備していた」とある元アップル社員は話す。「会議の組み立てから、どんな情報を説明して何を説明しないか、どんなコード名をつけるか、何かあったときの代案をどう用意しておくかまで細かく時間をかけて計画していた。イノベーションのためには必要のない無駄な努力に思えたし、デザイナーはまるで神様みたいに扱われていた」

デザイナーを軸にしてトップに権力を集中させることで、アップル経営陣は同社の一般社員から距離をおいている。**社員の仕事はアイデアを出すことではなく、実務ワークに専念することのため、経営陣と交流する機会はほとんどない。**

アマゾンやフェイスブック、グーグルの社員たちは毎日のようにＣＥＯと交流があるが、アップル社員とティム・クックはめったに交流しない。

「ばったりクックに会ったことがあるけど、温かな会話にはなりませんでした」と元アップル社員のジーン・ルージュは話す。「玄関ホールですれちがって、おはようございますと言ったら、値踏みするようにこちらを見て、すれちがいざまに『では』と言われました。

『おはようございます』でも『やあ、おはよう』でもなく、単なる『では』。まるで、邪魔をするな、『私にはあいさつをしている暇などない』って感じでした」

「アップルの文化にはちょっとばかり冷たい面があると言われているけど、それはたぶん宣伝用にやわらげた表現ですよ」とルージュは言った。「私なら食肉用冷凍庫みたいに冷たいと言いますね」

ザッカーバーグやピチャイが社内に対して経営陣との質疑応答のミーティングを開き、ベゾスが6ページ文書で交流をはかっているのに比べ、**アップルにはアイデアを経営陣に届ける手段がほとんどない**。デザイン部門にいた元社員に、クックやほかのトップたちにどうすればアイデアを伝えられるかと質問してみた。

「そうですね、おそらく無理です」という答えだった。「おそらく何も起こりません。そんなことをしようとした人の話は聞いたことがありません」

クックは社員たちと交流を持っていないが、同社の上級幹部たちには好かれている。思慮深くて厳格なCEOで、人間味があって、腰が低いという評判だ。

「衝動的に行動したりすることがないと保証できます。彼はいつでも、ちょっとしたことだろうと、非常に重大な会社の問題だろうと、あらゆることについて思慮深いのです」とアップルの元人事担当副社長のデニーズ・ヤング・スミスは言っていた。「彼自身が、アップルの規律、アップルの優秀さ、アップルのディテールへの注目、そしてアップルが向上し、できる限り最高の製品を消費者に提供しようとしつづける姿勢のモデルになっているのです」

数年前のビジネスを取り巻く環境、すなわち実務ワークという重荷が社員のアイデアを生み出す能力を妨げていたころなら、ジョブズの後任としてクックが当然の人選である理由が理解できただろう。

しかし、現在のビジネスの世界は変わった。そして、アップルはいずれにしろ適応せざるをえないだろう。**社員のアイデアを利用できない経営者ではなく、利用できる経営者が成功する時代が来る。**

アップルのサイロ化と秘密主義

アップルの製品開発はその存在自体が極端な秘密主義のもとで進められ、同社の従業員でさえ、ほとんどは知らないままである。この**秘密主義は、優秀なものの追求に必要な集中をうながすためでもあり、リークを抑えるためでもある。**

アップルの社員が、自分の取り組んでいるプロジェクトについて同僚に話したいときは、

「ディスクローズ」という手段をとる。つまり、話してもいいという公式な許可をとる必要があり、相手方の同僚もディスクローズしなければならない。

このようにおたがいがディスクローズしている状況以外では、自分のプロジェクトについて同僚や友人、配偶者を含め、誰にも話してはならない。

「同じチーム内の人がやらなければならない仕事について、その当人と話すこともできなかった」と話すのは、アップルのマーケティング部門で働いていたマーク・マイナーだ。「製品名を使えず、コード名も使えなかった。またそのコード名を知っている人以外には、コード名を言ってはいけなかった」

「ディスクローズ」システムは気が散るのを抑え、担当する製品のもっとも細かいディテールにまで注意を払えるようにしてくれる。

「ほかの要素については知ることさえないから、自分が集中すべき対象がずっと明確になる」とアップルのある元エンジニアは話す。「グーグルでは、全員がすべてに責任を持って、全員が進行中のすべてを知っていて、全員がすべてを社内テストして、全員がテストしたすべてについてフィードバックする。その結果、個人の当事者意識が薄まることになりかねない。一方のアップルでは、これだけしか知らない。知っていることが自分のすべきことなんだ」

言い換えれば、ゴールドスタインが言ったように「縦割り構造のサイロ化によって、専門家になれる」ということだ。

アップルの秘密主義には集中力を高めるだけでなく、新製品のリリースの際に消費者を驚かせる効果もある。驚きの要素は年に2回、メディアやアップル信者の注目を引きつける。1回はアイフォーンの新モデルの発表イベントだ。そしてもう1回は、WWDCという世界規模のアップル開発者会議で、そこではアップルのOS上での開発方法を議論する。

これらのイベントの約1週間前になると、アップルのマーケティングチームとコミュニケーションチームは、「ブラックサイト」という窓のない専用の建物にこもって、新製品のマーケティング資料のレビューと翻訳を進める。

ブラックサイトのなかで、実店舗や広告宣伝、オンラインストアなど、どこに出してもいいように資料が整えられる。それからお披露目の時間となる。

「すべては、クパチーノのアップル本社にある小さな建物のなかで起こる。全員がそこに閉じこもって、すばらしい仕事をするんだ」とマイナーは話し、結局のところアップルの秘密主義にはそれだけの価値があると付け加えた。

「アップルがメッセージをコントロールする能力は、喧伝されるだけのことはある。マーケティング畑の人間としては、メッセージのコントロールがすべてだ」

アップルの社員は、新製品のニュースを漏らしたり、告知済みの新製品のプレビューを見せたりするだけでも解雇される。あるとき、ハードウェアエンジニアのケン・バウアーの娘ブルック・アメリア・ピーターソンが、アップル本社に父親を訪ねた。彼女がユーチューブに投稿したその訪問のレポートには、告知済みだったがまだ公開前のアイフォーンXの動画が含まれていた。そしてそれは、高くつく過ちとなった。[5]

バウアーによれば、ピーターソンはいつでも自分のカメラを持ち歩いている。だから、彼女がアイフォーンの動画を撮ってもおかしいとは感じなかったという。

「娘がカメラを持っていたということは避けるべきであり、間違っていたといえるでしょう。でも、自分の子供が野球好きで毎日野球帽をかぶっていたら、それに慣れてしまうものです。それについて考えなくなるんです」

ピーターソンが動画を投稿すると、あっという間に広がって、アップル内部の人間が気づくにいたった。

「突然、朝の8時にアップルのセキュリティ担当から電話があって『問題が起こった』と言われました。ほぼ同時に、上司からのメッセージも届きました」

ピーターソンはオリジナルの動画を削除したが、コピーは広がりつづけ、削除しようとしても無理だった。インターネットはそういうものだからだ。「すごく落ち込みました」と彼は話す。「すぐに事の重大さに気づいて、仕事を失うかもしれないと思いました」

セキュリティ担当との会話で、バウアーはその過ちを認めて、同じことを二度と繰り返さないと誓った。「決定があったのは次の日でした。『君はクビだ』という処分のね。オフィスから送り出されておしまい。解雇でした」

バウアーは新しい勤め先をすぐに見つけられた。それは、ひとつには娘の動画が注目を浴びたことに対する彼の冷静な対応のおかげでもあり、何より彼は現状に満足しているようだった。「アップルにうらみはありません」

これらの要素、すなわち**デザイン主導の開発プロセスや、集中、驚きといった特徴のすべてが相まって、アップルの主力デバイスを世界でもっとも人気のある製品にしている。**

しかし、グーグルが対処せざるをえなかった「キーボードとマウス」から「音声と画面タッチ」への変化に引けをとらない大きな変化にアップル直面しているいま、その同じ要素が同社の足を引っ張っている。

アイフォーンは「ちょうどいいかたち」

2019年1月2日、ティム・クックがめずらしくアップルのウェブサイトに告知を掲載した。[6] 書き出しは「アップルの投資家の皆様へ」だった。

「本日私たちは、2019年度第1四半期の業績予想を修正いたします」

その告知は、アップルが収益予測を1億5000万ドル以上も下方修正した2002年以来はじめて、同社が収益予測を修正することを示すものだった。[7] 今度の修正額はもっと大きく、少なくとも50億ドルの下方修正となった。

クックはこの下方修正についていくつかの理由をあげているが、**重要なのはひとつだけ。アイフォーンの売れ行きが落ちていること**だ。

「主に中国市場におけるアイフォーンの売上高が予想を下回ったことが、業績予想に達しなかった理由のすべてであり、アイフォーンの売上高の減少幅は、全体の売上高の前年同期比の減少幅に比べて大きくなっています」とクックは書いている。

アイフォーンの売れ行きが落ちた原因の一部は中国市場の減速と米中間の貿易摩擦の発生だが、実は別の原因のほうが大きな影を落としている。つまり10年間の大きな進歩によって、スマートフォンでは最新モデルを持つ重要性がそれほど高くなくなってしまったのだ。そしてスマートフォンを買い替えるまでの時間が長くなり、それがアップルの売上げに響いたわけだ。2018年11月、アップルはアイフォーンの売上台数の発表を止めると発表した。それは来るべきものを暗示していた。

アップルの共同創設者スティーブ・ウォズニアック自身も、アイフォーンはこれ以上のアップグレードが必要ないところにまで達したと認めている。

「私はアイフォーン8に満足しているが、アイフォーン7でも満足だったし、アイフォーン6でも満足していた[8]」

彼は2017年のインタビューでこう語り、アイフォーンXにはアップグレードしないつもりだと付け加えた。

「車を例にとろう。自動車は100年以上もタイヤが4つで、人間が中に乗れるのにちょうどいい大きさで、ヘッドライトがついている。だから車はそれほど大きく変わってこなかった。自動車はちょうどいいかたちにたどり着いているんだ。そして、スマートフォンも手にちょうどいいかたちにたどり着いた。ちょうどいい手のひらサイズにね」

クックはCNBCのインタビューで平静を装っていた[9]。CNBCのホストであるジム・クレイマーが、自分の娘は新しいモデルが必要だと思わないからスマートフォンを買い替えないそうだと言うと、クックはそれでかまわないと答えた。

「私にとって一番重要なのは、彼女が満足しているということです」

だが**このエピソードは、アップルにとっての厳しい現実を痛感させる。**

同社は10年以上も、ジョブズのアイデアを完璧な状態に近づけることに集中してきた。しかし繁栄は終わりに近づいている。2007年にジョブズが始めたアイフォーンは、薄く、速くなり、21世紀初頭の偉大な人気商品になった。

とはいえウォズニアックの言葉どおり、改良の効果はどんどん見えづらくなっている。アイフォーン6は現実問題としてアイフォーン7やアイフォーン8と見分けがつかない。

その一方で、競合他社がアイフォーンと同等のカメラやプロセッサーを搭載した製品を打ち出していて、この分野でアップルが独り勝ちできなくなってきた。

アップルによれば、売上低下は特に中国で厳しい。中国では、ウィチャットというSNS、決済、投資、タクシー配車などのできるアプリが事実上のOSになっているため、アップルのiOSから切り替えるのが簡単なのだ。

ジョブズのアイフォーンを改良することは、もはや確実な成長につながらなくなってしまった。だからアップルはそれ以上に大規模な構想を持ち、それを実現するために再び変革を生み出せるようにならなければならない。

だが、ビジョナリーが会社を導くという、過ぎ去った時代に合わせてつくられた同社の文化は、向かうべき場所に進む準備ができているようには見えない。

ホームポッドの大失敗

ホームポッドよりずっと前の2011年10月4日、ジョブズが亡くなる前日に、アップルは音声アシスタントのシリを発表した。[10] シリで、アップルは音声コンピューティングに先鞭をつけたのだ。

だが**シリを成功させるためには、アップルは改良者的発想を捨てる必要があった。**サイロ化と秘密主義を捨て、グーグルがアシスタントプロジェクトでやったように、シリチームがほかの部門と一緒になって、ほかの製品をシリに合わせる方法を考えられるようにしなければならなかった。

また、シリをアイフォーンとは独立した製品とみなして、ほかのサービスにも入れられるようにしなければならなかった。しかし、いずれも実現しなかった。

シリの開発当初からのチームメンバーはこう話す。

「2011年の10月にスティーブが亡くなってから、問題が起こりはじめた。クックはとてもいい人で、得意なことがたくさんある。特に経験があるから経営は見事だ。でも、製品についてはビジョンがないんだ[11]」

アップルはシリのチームに自由にやらせず、縦割り構造と秘密主義に閉じ込めた。トップダウンで設計し、プロジェクトを内密にして進め、チームメンバーが同僚とできる限り交流しないようにしたのだ。

このメンバーによれば、グーグルがアシスタントでとった方法と真逆のコラボレーションの欠如によって、シリプロジェクトは難航した。

「自分のオフィスに着くまでに3回も身分確認が必要だったし、メンバー以外はオフィスに入れなかった。世界中から隠れていたようなもので、誰も私たちに気づかなかった」と彼は言う。「アップルでは、1つのチームだけですべてができると信じていた。ばかばかしい話だ。多くの情報が多方面からもたらされるような製品に取り組んでいるときは、特にコラボレーションこそが必要だ」

アップルがシリでもサイロ化と秘密主義の方針をとると決めたのは、ひとつは経営陣のシりについての見方のせいだった。彼らにとって、シリはアイフォーンの改良、アイフォーンをもっと魅力的にするための愉快な「中の人」にすぎなかったのだ。

しかし、それは大きな戦略ミスだった。**シリの用途をアシスタントとしての利用に限定してしまったために、能力不足なものができあがり、そのせいで人気を失ってしまった。**

アップルの経営陣が社員の意見をよく聞いていれば、シリにもっと可能性を感じられたのかもしれない。担当の社員たちはシリをアップル社外に公開して、サードパーティー製のウェブやアプリに音声を搭載してもらって、シリをもっと便利なものにしたいと考えていた。

だがその意見は、どこにも届かなかった。

「メンバーの多くがずいぶん長い間、シリをサードパーティーの開発者に公開するよう会社に要求していました。でも、会社側が渋ったんです」とシリにかかわっていたある社員は言った。「アップルは、シリをアイフォーンの機能のひとつと考えていました。未来のOSだとはまったく考えていなかったんです」

アップルはシリをこのようにみなしていたため、このプロジェクトでもデザイン担当に大きな権限を与えた。それも間違いだった。

シリにかかわったエンジニアたちによれば、デザイン担当は、シリを摩訶不思議な人間のような存在だと想像していたという。それも性能の低さにつながった。

エンジニアがフィードバック用のツールをつくろうと提案すると、デザイン担当はそれを却下した。シリの性能をユーザーに評価してもらうと、その超自然的な印象が弱まるからという理由だった。そのため**エンジニアたちは、フィードバックなしでシリの改良に取り組まざるをえなかった。**

「ユーザーのうち1パーセントでも、これがいいとか悪いとか、ここがよくないとか言ってくれたら、ものすごくありがたい」とその元シリの担当エンジニアは話す。「でも、会社はそうしたがらなかった。ユーザーの話しかけているのが人間だという幻想や認識がこわれるからだ。こういうことについて、会社とずいぶん戦った。フィードバックが得られない限り、製品の改良なんてできない」

また、デザイナーがシリに組み込んだアニメーションは見た目をよくしたが、動作は重くなった。エンジニアがそれに文句を言ってもデザイナーは受け入れなかった。

「別のデザインにするのはほぼ無理だった。デザイナーは『なるほど、でもこの美しいアニメーションを見てくれよ』というばかりだったから」

アップルの事業計画プロセスもさらなる障害となった。アップルが事業計画をつくるのは通常、年に1回だ。そこでは、ハードウェアを中心とした開発スケジュールが策定される。シリでは、少なくとも開発当初はその年にどの機能を開発するかを会社が設定しており、チームが臨機応変に変更する自由度はほとんど残っていなかった。

iOSをはじめアップルはすばらしいソフトウェアをつくってきたが、これらのシステムは、質問したら答えを返すような仮想アシスタントほど高いレベルには機械学習を利用していなかった。

時代遅れの文化とハードウェア型の事業計画

このような実験的テクノロジーを使ったアシスタント構築は、年間計画や半期計画で進めるのは向いていない。こうしたプロジェクトは自由度が高く、臨機応変に調整できるほうがいいのだ。

独立して動作する多様なソフトウェアプログラムを受け入れなければならないのはOSも同じだが、アシスタントはさまざまなプログラムに深くかかわる必要があるため、より高い自由度とより緊密なコラボレーションが必要になる。**時代遅れの文化とハードウェア型の事**

業計画プロセスのせいで、アップルは十分な環境を用意できなかった。

「アップルで一番問題なのは、シリのようなプロジェクトを、自分たちの要求を正確に把握できるハードウェアと同じように扱おうとしたことだ」と別の元シリエンジニアは話す。「実際には謙虚になるべきだったし、さまざまな方法を試して何がうまくいくかを確認すべきだったし、うまくいくものに多めに投資すべきだったし、もっと長い時間をかけるべきだった。最先端の機械学習を利用した開発をしているときに、前もって正確に予測できるはずがないんだから、当初の計画よりも長くかかると考えるべきだったんだ」

2014年11月、アマゾンがエコーとそこに搭載されるアシスタント「アレクサ」を発表したとき、アップルはスマートスピーカーというコンセプトには特に驚かなかったという。同社は以前、スピーカーにシリを搭載しようとしたことがあったが、おそらく品質の問題でそれを取り消していた。

しかしエコーの人気によってアップルは、音声コンピューティングがインターネットやアプリ上の新たなOSになり、OSといえば画面上で操作されるものとは限らなくなってきたことを認識せざるをえなくなった。そこでアップルはいやいやながら競争に加わり、シリを内蔵したスピーカーの構築に乗り出した。

しかしホームポッドプロジェクトは、アップルの転機にはなれなかった。シリが一機能にすぎなかったアイフォーンの場合と違って、ホームポッドの体験は、完全に内部のアシスタントに左右されるものだったからだ。

ホームポッドを成功させるためには、アップルは縦割り構造や秘密主義、デザイン主導の製品開発プロセスを捨て、あらゆるレベル、あらゆる部署からアイデアを集めようとするエンジニア思考を歓迎しなければならない。

しかし**アップルはここでも、壮大なコラボレーションではなく、壮大な分離を選んだ。**

ホームポッドプロジェクトの開始時点から開発チームは分断されていたため、自分たちが何を開発しているのか把握していないエンジニアもいた。

「開発中に誰かが『これはエコーに似ている』と言っていたが、私もそれ以上のことを知らなかった」とホームポッドを開発していたある元アップルエンジニアは話した。「発表の数カ月前、たまたまあるエンジニアのオフィスに寄ったら、部屋の隅に段ボール箱があった。『それはなんだい』と聞くと、『ホームポッドだよ』という返事だった。それを見てはじめて、ホームポッドがオフにできるものだと知った」

アップルは、本社外のごく一部の社員だけが入れる施設にホームポッドチームを隠した。

シリのころと何も変わっていなかった。
「自分が取り組んでいるすべてについて、完全な構図を知ることはできなかった」とホームポッドに取り組んでいた別のエンジニアは言い、ディスクローズしなければならないのが面倒だったので、その部屋にいる人以外とは議論しなかったと付け加えた。「別のチームとコラボレーションできないことで仕事がちょっと難しくなった。それで、対応策を見つけなければならなかった」

アップルにコミュニケーションツールがなく、仕事が遅れたり、作業の重複があったりしたことも、プロジェクトが難航した原因だった。

後者のホームポッドのエンジニアによれば「記録が不十分だった」という。「記録になかったから、推量したり自分でなんとか解決したりしなければならなかったが、別のところですでに検討済みだったなんてこともあった」

アップルはホームポッドを2017年までに発表しようと計画していた。しかし発表日が近づいたころになっても、デバイスの主要機能が一部うまく動かなかった。そしてアップルは、発表日を延期するというめったにない決定をした[12]。

年末が近くなったころにアップルが発表した声明では「アップルの画期的な家庭用ワイヤ

レススピーカーのホームポッドを早くみなさんに体験してもらいたくはありますが、顧客に提供する準備が整うまでには、もう少し時間が必要です」とある。「米国、英国、オーストラリアでは２０１８年初頭に出荷を開始します」

リリースを遅らせても、デバイスの欠点を隠すまでには足りなかった。

いざ発表されたホームポッドには、マルケス・ブラウンリーのようなアップルに好意的な人でさえも失望を隠せなかったのだ。

ホームポッドの売れ行きは現在でも非常に悪いため、市場調査サイトのｅマーケターではアマゾンエコーやグーグルホームが独立したエントリーになっているのに、シリはいまだに「その他」のカテゴリーにまとめられている。

２０１８年にアマゾンエコーには４３６０万、グーグルホームには１９３０万のユーザーがいるが、「その他」カテゴリーには合わせて７００万ユーザーしかいない。

インタビューに答えてくれたシリの開発当初からのチームメンバーは、その後アップルを辞めた。最後に、ホームポッドを持っているかと聞いてみた。

「１台持っている。音声機能の付いている製品は全部買っているからね」

それで、あなたの感想は？

「いつもどおりデザインはすごくいいと思う。ただし、アシスタント自体は最悪だ」

デザイン至上主義の弊害

アップルのスティーブ・ジョブズ・シアターで、ティム・クックが晴れやかに同社のアイフォーン以来最大の告知を発表する姿を思い描いてみよう。

クパチーノのアップル本社のはずれにあるこの地下ホールは、大きな発表をするために建設された施設だ。クックは1000人におよぶ報道関係者や経営陣、社員たちを見回しながら、新製品を取り出す。聴衆に向かい、クックはまず過去を振り返る。

「どんな会社にも、革新的な製品を持つ機会が1回はあるでしょう。しかしわれわれアップルは、幸運なことに3回も革新的な製品をつくりだしてきました。マック、アイポッド、そしてアイフォーンはいずれも人々の生き方を大きく変えました。そして今日、喜ばしいことに、そのような製品をもう1つご紹介できるのです」

続けて、穏やかなアラバマなまりでクックは本題に入る。

「今日、私たちはアップルカーを発表します。アップルカーは、人間による運転を超えた世界最高の乗車体験をもたらす全自動運転車です。内装も外装も、すべてを独自に開発しました。必ずみなさんのお気に召すはずです」

聴衆の熱狂する姿が目に見えることだろう。アップルは現在、実際にそんな自動車に取り組んでいる。２０１０年代の半ば、アイフォーンが「ちょうどいいかたち」に近づいたまさにそのころ、アップルは自社製の全自動運転車への挑戦を始めた。プロジェクト・タイタンというコード名のもと、アップルはこの自動車の開発に大きな人員を割り当てた。

それが、同社の次の「革新的」製品になると信じたからだ。しかしクックが発表のスピーチをするまでには、まだ当分時間がかかりそうな気配である。


アップルカー、あるいは最終的には別の名前がつけられるかもしれないが、このプロジェクトはホームポッドを苦しめたのと同じ、数々の障害によって開発が難航した。

たとえば、デザイン担当からＡＩエンジニアに指示を出すことを認めたため、ＡＩ技術が十分に発揮されなかった。エンジニア部門をサイロ化したため、開発が遅れた。

アイフォーンへのこだわりのため、自動車をつくるのに適した方法を正しく考えられなかったのだ。ホームポッドでの問題だけなら偶然で片づけられたかもしれないが、**アップルカーの開発で、アップルの問題が組織的なものだということが明白になった。**

アップル社内では、アップルカーは本質的にアイフォーンの次の主力商品とみなされている。アイフォーンは、世界でもトップレベルのハードウェア（デバイス）と最先端のソフトウェア（iOS）が相まって、携帯電話の新しい標準をかたちづくった。

今回もアップルは、違うかたちのハードウェア（自動車）とまったく新しいソフトウェア（自動運転システム）で同じことをしようとしている。

「私たちはアイフォーンが出発点だと思っていました」と、プロジェクト・タイタンで働いていた元アップルエンジニアは話す。「それが根本的な問題の1つでした」

アイフォーンの改良と同じように、**アップルはこの自動車プロジェクトでも、デザイン担当に重要な決定を任せた**。しかしスマートスピーカーと同様、自動運転車をつくるときには自動車の見かけよりも、内部のソフトウェアのほうがずっと重要だ。

ところがデザイン担当は、何がこのプロジェクトにとって最良かを問いかける声を聞かずに、負担ばかり増やすような指示をトップダウンで出して、エンジニアをいらだたせた。

たとえばデザイン担当は、一般的な自動運転車のイメージが「走る潜水艦」となっている、その原因であるセンサーや見た目が悪い付属物を見えなくしようとした。

しかしセンサー類を埋め込んでしまうと、センサーの受信範囲が狭まって集められるデータが制限され、不適切な回避策をとらざるをえなくなってしまう。

デザイン担当はまた、ハンドルにも口を出した。プロジェクトのグループに、ハンドルのとりはずしができるデザインで自動車の開発を進めるように指示した後になって、デザイン担当はハンドルを完全に削除すると決定した。

これは、**完全に自動で動く車をつくらなければならないという、さらに大きな技術的な困難をもたらした。**

ハンドルの件について、元アップルエンジニアは語った。

「デザインチームは『ハンドルをとっちゃえばいい』と言うんです。『4〜5年のうちにはハンドルのない自動車ができるさ』ってね。でも現実にはそんなふうにはいかないんです。段階的プロセスを完全に踏んでいかないことが、新しい試みにおけるアップルの弱点です」

プロジェクト・タイタンで働いていたもう1人の元アップルエンジニアも、デザイン担当の影響力を嘆いていた。

「そもそもエンジニアに降りかかる障害はいろいろあるのに、デザインからまで障害が加わったら、仕事なんてできたもんじゃない。エンジニアからデザインに口出しすることはほとんどなかった。デザインに合うように、対応策をとらされたんだ」

このエンジニアの話では、アップルのサイロ化のせいでプロジェクト・タイタンはさらに難航することになった。**同社は機械学習への取り組み方を完全に間違えていたという。**

「自動運転システムをやっている人も、顔認識をやっている人もいたが、おたがいに話をすることはできなかった。自分のやっていることを共有できなかったんだ」と彼は話す。「それでも自動車を検出している人がいて、目や瞳孔や顔の特徴などを検出している人がいるわけだ。実際には共通するものがたくさんある。ニューラルネットワークのモデルも、一般的なやり方も、多くが共通している。それを協力させないなんて、ばかばかしいよ。そのせいで人工知能アルゴリズムの開発は明らかに遅れた」

そのうえアップルでは、エンジニアたちが利用しなければならない社内向けテクノロジーの品質が改善されないままだった（これについては後述する）。

「エンジニア自身のアイデアなんてなかった。いつもそうなんだ。それがアップルの問題だ」

2019年1月に、アップルは難航するプロジェクト・タイタンから200人の社員を外した。[13]同社の広報担当者はCNBCのインタビューでこう話している。

「アップルでは、非常に才能のあるチームが自動運転システムや関連技術に取り組んでいます。2019年にはこのチームの取り組みをいくつかの重要な分野に絞り、一部のグループを社内の別の部門のプロジェクトに移して、これらのグループがアップル全体の機械学習その他の先端技術をサポートするかたちにします」

アップルにとってスマートスピーカーや自動車のプロジェクトは、繰り返す悪夢のように感じられただろう。前者は告知したリリース日に間に合わず、失望を呼んでしまった。後者はいまだにリリース日が決まる状況にはなく、スタッフも減らされた。

この2つには共通点がある。秘密主義とトップダウンでの計画策定という、以前ならアップルの仕事を支えてきた要素が、将来に向けて同社のやり方を革新し直そうとする試みを妨害してしまったことだ。**エンジニア思考の欠如は明白である。**

本章でインタビューした20人以上の元アップル社員のうち、多くはいまでもアップルの株主であり、同社の将来に期待していると話していた。それでも、話をするうちにだんだん疑惑の色が顔に出る。先に登場したプロジェクト・タイタンの元エンジニアは「スピーカーを十分スマートにできないのに、自動車をスマートにできるものだろうか」と言っていた。

アップルが抱えるIS&T問題

アップルでは、社員がアイデアを出す余地をつくり、それをトップまで届かせる方法を見つけることは重要視されていない。だから同社の経営陣は、アマゾンやフェイスブック、グーグルなどとは異なり、社内向けテクノロジーで実務ワークを縮小することに重きをおいてこなかった。その結果、**アップルの社内用ツールは社員の恐怖の源になっている。**

アップルの情報システム・技術（IS&T）グループは、サーバーやデータインフラストラクチャーから小売り・法人販売用ソフトウェアにいたるまで、社内向けテクノロジーツールを多数開発しているが、社内のほぼ全体から非難を浴びている部署だ。

IS&Tのメンバーは主に、競合する複数のコンサルティング会社によって雇用される契約社員であり、このグループの機能不全が低品質なツールの原因となっていることも多い。IS&Tとよくやりとりしていた元社員によれば「IS&Tは、アップルのためにとんでもない量のインフラストラクチャーを処理する大規模な契約社員集団だ。その組織全体が『ゲーム・オブ・スローンズ』の世界みたいな悪夢だよ」

何人もの元IS&T従業員や社内クライアントへのインタビューからは、**IS&Tという部署は内紛のせいで有用なソフトウェアをつくれない混乱した場所で、契約社員たちは使い捨て部品のように扱われている**という構図が見えてくる。

「毎日が冷戦です」と元IS&Tの契約社員で、この部署で2回働いたアルカナ・サババシーは話した。

サバパシーのIS&Tでの最初の契約は3年以上続いたが、2回目はたった1日で終わった。彼女によれば、ウィプロやインフォシス、アクセンチュアなどのコンサルティング会社が、この部署での職務やプロジェクトを勝ちとるために争いつづけているそうだ。

勝利の決め手になるのは主に、アップルの要求を満たすスタッフをどれだけ安く調達できるかである。

「コンサルティング会社は、ひたすら受注数を争っているんです」とサバパシーは話す。「請負業者が気にかけるのはそれだけで、仕事内容も、成果物も、努力も、才能ですら、どうでもいいんです。コンサルティング会社はそんなものを求めてはいません」

IS&Tはこうして業者の部族主義に支配され、コンサルティング会社への契約社員の忠誠が何より勝る場所になっている。別のコンサルティング会社に雇われている契約社員との関係について、サバパシーは「友情なんて、思いつくことさえありません」と語った。「米国の昔ながらの働き方なんてものはどこにもありません。職場の同僚は、ここで1日のほとんどを過ごすだけの知り合いというだけで、実質的な人間関係なんてものはありません」

またアップル社内のIS&Tのクライアントは、この部署の混乱のなかで契約社員たちがいなくなって困ることもあるという。

「私が一緒に働いていた人がまったく別のチームに異動させられて、別の人が代わりになったと思ったら、その人も1カ月もしないうちにいなくなりました。その後、IS&Tのプロジェクトマネジャーが交代したのに誰も教えてくれず、偶然それを知りました」と、IS&Tを「ゲーム・オブ・スローンズ」の悪夢になぞらえた元アップル社員は話した。

IS&Tのプロジェクトがなんとか完了しても、アップル社員にとってさらにひどい頭痛の種になることもある。**残されたゴタゴタを片づけなければならないからだ。**

何人もの関係者が、IS&Tの成果物の出来がひどかったために、アップル社員がプログラムを書き直さざるをなかったと話していた。

アイデア創造の余地をつくれるか

シリコンバレーで人気のQ&Aサイト「クオーラ」には、「アップルのIS&T部門の職場文化はどんな感じ?」という質問に、信じられないような回答がいくつも寄せられている[14]。

トップアンサーのタイトルは「エンジニアリングの品質は非常に低い」というもので、これはIS&Tで働いていたと自称する匿名ユーザーからの投稿だ。「最初に入ったとき、プロジェクトが設計・開発される方法を見てすごいショックを受けた。プログラムの品質を高校生や大学新入生のものと比べても、まったく見分けがつかないだろう」

ＩＳ&Ｔの元常勤従業員に確かめてみたところ、そのとおりとのことだった。

次の回答にはさらに気が滅入る。

「私がＩＳ&Ｔで働いた経験をお伝えしたい。正直なところ、エンジニアにとってひどい職場だと言われるインドのブラック企業の大多数よりも、この部署のほうがひどい。私は入ってから別の部署に移るまで毎日が最悪で、この部署に入ったことを呪わしく思っていた」


サバパシーは、ＩＳ&Ｔの契約社員に対するアップルの期待は非現実的だと言っていた。アップル側はコンサルティング会社に支払った総額（時給１２０〜１５０ドル）だけ見ているが、契約社員には業者が中抜きした後のずっと少ない金額（時給40〜55ドル）しか渡されないからだ。このやり方では、応募する契約社員の数は少なくなるのにアップルの要求の高さは変わらないのだから、失望して当然といえる。

クオーラへの投稿についてサバパシーに質問してみると、その背景を教えてくれた。

「コンサルティング会社がもともとインド企業で、インドでそうやってきたし、ここでも同じようにやっているからですよ。インドでも同じような毒された環境にいたので、この国に来ることでそこから逃れようとしたんです。それなのに、やっぱりこんな環境に戻って同じ目に遭うのは、身を切られるようです」

大勢の契約社員を疑わしい状態で働かせつづけているテックジャイアントは、アップルだけではない。フェイスブックも、グーグルも、アマゾンも、みな多数の契約社員を雇っている。そしてその多くは正社員と変わらない仕事をしているが、福利厚生や俸給は同じではない。これらの契約社員の数は急速に増えており、よりよい条件やサポートを求める運動も始まっている。

たとえばグーグル社員のウォークアウトでは、反対運動の中核に契約社員の待遇向上が含まれていた。バーニー・サンダース上院議員は、アマゾンの契約社員の扱いの不透明さをなじり、アマゾンに最低時給15ドルの支払いを求めた[15]。

また2019年2月には「バージ」というウェブメディアでケイシー・ニュートンが、フェイスブックが正社員には平均24万ドルの年俸を支払っているのに対して、契約社員の一部には年間で2万8000ドルしか支払っていないことを暴露した（フェイスブックはこの後契約社員の俸給を引き上げた）[16]。

アップルにとって、崩壊したIS&T部門の立て直しは倫理的な観点から正しいだけでなく、同社のビジネスをも利する。**アップルが再び変革を取り戻すためには、社員に新たなアイデアを生み出す時間をもっと与える必要があるだろう。**

だからIS&Tがいつの日か、実務ワークを減らして革新的なアイデアをつくる余地を用意して、アップルの強みとなる部署に成長する可能性はある。

しかしアップルがこの部署を厳しく扱う限り、アップルの社員たちはうまく動かない社内向けソフトウェアのつくり直しに時間を費やし、もっと創造的なアイデアに力を使いたいと望むだけの状態にとどまるだろう。

FBIとの対決

2015年12月2日の午前中、2人のテロリストがカリフォルニア州サンバーナーディーノの会議場に押し入り、無差別な発砲を始めて、逃走するまでに14人を殺害した[17]。

そして警察がこの2人を射殺した翌日、FBIが近隣にある住居を捜索してアイフォーン5cを押収した[18]。

FBIの考えるところでは、このアイフォーンは、死んだテロリストたちと彼らを支援したと疑われる関係者の捜査において重要な証拠になる可能性があった。しかし、問題が1つだけあった。ロックされていたのだ。

ＦＢＩはそのアイフォーン内部のデータの前に立ちはだかる四桁のパスワードを探した。だがもし10回入力を間違えたら、データはすべて消去されてしまう。

ＦＢＩは、アップルにアイフォーンのロック解除に力を貸してくれるように頼んだ。しかしアップルには、10回の入力制限を回避する方法はなかった。

そこでデータを消去しないために、ＦＢＩはアップルにバックドアをつくるように頼んだ。パスコードの入力回数が無制限の新しいｉＯＳだ。

この新しいｉＯＳをアイフォーン５ｃにインストールすれば、ＦＢＩは必要な情報にアクセスできるようになる。しかしそれは同時に、１台のアイフォーンだけでなく、何億台ものアップルのデバイスが、望まないアクセスによる攻撃を受けやすくなるということだった。[19]

クックはそれを支持できず、ＦＢＩの要請を拒絶した。ＦＢＩは直後にアップルを強制的に従わせるための訴訟を起こした。

ＦＢＩの要求を断るという決断は容易ではない。そのデバイスの情報を隠匿した結果、人が殺されたらどうする？　それでも、アップルは決断を変えなかった。２０１６年2月の顧客に宛てた文書で、クックは自分がプライバシーの側に立っている理由を明らかにした。[20]

「政府の要求の意味するところは恐ろしい」と彼は述べている。「政府はこのプライバシーの侵害を拡張して、あなたのメッセージを傍受したり、あなたの健康管理歴や財務データにアクセスしたり、あなたの位置情報を追跡したり、あなたのスマートフォンのマイクやカメラに本人に知らせずにアクセスしたりする監視ソフトウェアをつくれと、アップルに要求するかもしれない。この命令への不服従は軽々しく決めたことではない。私たちは米国政府によるいき過ぎだと思えるものに向かって、声をあげるべきだと考える」

この争いによってクックには、敵が誰であろうとも、プライバシーの自警団としてどんなコストを払っても、プライバシーのために戦う人だというイメージができた。

そのうえクックは、その点を強調するのを忘れなかった。

激しい闘いの最中に彼が登場した「タイム・マガジン」の表紙には「アップルのCEOティム・クックが、FBIとの闘いと引き下がらない理由について語る」という見出しが、机に向かって毅然と座る彼のモノクロ写真の上におどっていた。

FBIが第三者経由でアイフォーンのデータを手に入れたことも、訴訟が取り下げられたこともささいなことである。**この声明こそが、クックにとって決定的な瞬間だった。**

アップルは常にプライバシーに投資してきた。アップルのビジネスモデルでは顧客はユーザーであり、データに飢えた広告主を相手にしなくても経営が成り立つからだった。

しかしＦＢＩとの争いは、それを注視する人々の頭の中で「プライバシー」と「アップル」という言葉の関連付けを促した。それ以来クックは、アップルから出すメッセージの中核要素としてプライバシーをすえてきた。

プライバシー重視というブランド戦略

クックが、アップルの拠って立つものの中心にプライバシーをすえたことは、いくつかの理由でうなずける。

第一に、ウォズニアックが言ったようにスマートフォンが「ちょうどいいかたち」になったため、アップルのオペレーティングシステムｉＯＳを別のＯＳに切り替えることを、できる限り難しくすることがアップルの利益となったからだ。

プライバシーを強調することで、クックはアップルのｉメッセージをフェイスブックのメッセンジャーと、アップルのマップスをグーグルマップスと、アップルのシリをグーグルアシスタントと差別化する。

クックやアップル経営陣は、アップルの大きなイベントでプライバシーに関するメッセージをしつこいほど繰り返す。彼らによれば、アップルのソフトウェアだけを使っていれば、データ漏洩について心配することはないという。

プライバシーは、現在ではアップルの広告戦略の一部である。2019年のラスベガスでの国際家電ショーで、アップルは大きな掲示板に「あなたのアイフォーンで起こること、それはあなたのアイフォーンから漏洩しない」というメッセージを掲げた。

アップルのプライバシー・キャンペーンのなかでクックは、フェイスブックがメッセンジャーのワッツアップ、インスタグラムといった簡単に相互利用できる3つの大きなメッセージングアプリを持っていることを理由に、フェイスブックを何度も批判した。

中国のウィチャットと同じようにこれらのアプリを使っていれば、iメッセージから移行するよりもずっと簡単に、アイフォーンを別のスマートフォンに切り替えられる。アップルはそれを非難する機会を逃さなかった。

フェイスブックがケンブリッジ・アナリティカがらみのスキャンダルに陥っていた当時、クックは新聞の見出しを飾った。インタビューで、彼がザッカーバーグの状況になったらどうするかという質問へのクックの答えは「アップルは絶対にそんな状況にならない」だった。「もし私たちの顧客を商品として扱ったら、とんでもない金額を稼ぐことができるでしょうが、私たちはそんなことをしない道を選んできたのです」

もしアップルが業界に先駆けて体質改善に向けて革新できないのであれば、**今後もアップルというブランドの栄光を維持するために、たとえばプライバシーのような何かが必要になる**ということだろう。

ブラウンリーのホームポッドの動画を見て、アップルの製品が競合企業の製品ほど高品質でなくなったら、アップルは現代の流行の仕掛け人であるユーチューバーたちの人気を勝ちとりつづけられるだろうか、という疑問が生じた。

そこで、登録者数が1000万を超えるユーチューバー兼起業家のケイシー・ナイスタットに電話をして、彼の考えを聞いてみた。

「製品は別として消費者としての観点からは、アップルとティム・クックは僕を大事にしてくれると思ってきたし、その思いはさらに強くなっている。僕はプライバシーについての発言によってアップルを信頼する。フェイスブックについてはどうかって？　僕はフェイスブックが怖い。僕は毎日、損得の話をしている。それが僕の仕事だからね。

でも損得によらず、僕は自分のフェイスブックとインスタグラムのアカウントを閉じることについてはあえて受け入れられる。それは怖いからだ。フェイスブックは僕のデータに何をするか想像もつかない、それを知ることもできないし、自分でコントロールできるとも感じない。それが怖い」

その一方で、アップル社員へのインタビューを通じても、同社のプライバシーへの傾倒が本物だとよくわかった。アップルは顧客のデータを競合他社のようにいいかげんに扱うことはない。たとえ同社の製品に不利益があってもだ。

「プライバシーという理由で、アップルの開発チームはグーグルやアマゾンの開発チームならアクセスできるようなデータにアクセスさせてもらえない」と、あるホームポッドエンジニアは話した。「本当にうんざりするよ」

1997年、アップルの有名な「Think Different（発想を変える）」広告キャンペーンが始まった年に、スティーブ・ジョブズは自分のマーケティングについての考え方を社内に向けて話した。

「**私にとって、マーケティングとは価値だ**」とジョブズは言った[21]。

「この世界は非常に複雑で、非常に雑音が多い。そして、人々にわが社について多くを覚えさせるような機会など得られない。そんなことができる会社はない。だからこそ、わが社についてて知ってほしいことを非常に明確にする必要がある……。アップルの顧客は、アップルがどんな存在で、何を支持しているのかを知りたいのだ」

この広告キャンペーンで、アップルは大胆なメッセージを提示した。アルベルト・アインシュタイン、マーティン・ルーサー・キング・ジュニア、ジョン・レノン、マハトマ・ガンジーの映像を流しながら「クレージーな人たちがいる。反逆者、厄介者と呼ばれる人たち、物事をまるで違う目で見る人たち」と記した。

そこには、アップルの価値観が暗示されていた。アップルも彼らの一員であり、厄介者であって、顔のない企業ではないのだという価値観である。


現在のアップルは、もうクレージーでも、反逆者でも、厄介者でもない。以前ならアップルが自分をそのなかに数えていたような小さな人々を、力で圧倒する1兆ドル規模の巨人だ。アップル製品は、以前は革命的だったが、いまは権威的だ。それゆえ、そのメッセージは変わってしまった。

アップルが支持するものは何か。アイフォーンだ。そしてアイフォーンを売るために、アップルはプライバシーに価値をおく。

ウォズニアックの目を通したアップルの未来

この章のまとめを書く段階で、アイフォーンが「ちょうどいいかたち」に達し、アップルの変革の力が衰えてしまったように思える現在、アップルがどこへ向かうのかについて確認したくなった。そこで、スティーブ・ウォズニアックに電子メールを送ってみた。

するとウォズニアックから、次の水曜日の朝にオリジナル・ヒッコリー・ピットで会おうと言われた。アップル本社からほど近いカリフォルニア州キャンベル近郊にあるバーベキュー・レストランだ。

当日、私は約束の30分前に到着した。アップルの共同創設者ははたして現れるのか、と心配だった。10時55分、約束の5分前にウォズニアックが妻のジャネットとビジネスパートナーのケン・ハーデスティとつれ立って歩いてきた。ウォズニアックはヒッコリー・ピットの常連らしく、店のスタッフに奥に通されて席に着き、朝食を注文した。

テーブルをはさんで、ジョブズとともにアップルに生命をも吹き込んだ人物、アップルの最初のコンピューターをデザインした人物、1980年代に同社を去ってからも同社と親しくしている人物がいた。ウォズニアックはほとんど雑談に時間を割かず、すぐ本題に入った。あらためて本書の企画について説明してから質問するようにと言われて、私は従った。会話は変革についての議論で始まり、ウォズニアックはアイフォーンについて自身が考えていたことを率直に述べてくれた。

「アップルから何が生まれたかって？　アイフォーンだ。10年間でどれくらい変わったかって？　大して変わってない。**アップルのおかげだとよく言われるような生活の変化は、どれもみなサードパーティー製のアプリから始まったものだ。**ウーバーへのアクセスとかね」

ウォズニアックによれば、アップルにとって変革の力は気の利いたものを考え出すためには必要ではないが、人間の生活を単純にするものを思いつくためには必須だという。

会話のなかで、アイフォーンの改良は何度も話題に上った。アップルペイやタッチＩＤはどちらもあるとうれしい機能だ。

「私たちは常に、より使いやすくしよう、より単純にしよう、より的を射たものにしよう、より人間らしいものにしよう、そしてやりすぎないようにしよう、と努力してきた」とウォズニアックは話した。

これらの改良によって、アイフォーンはスマートフォン市場でトップの地位を保ってきた。そして人々がアイフォーンを買う回数が減ってもアップルは大丈夫だろう、というウォズニアックの意見に私は同意した。

「ユーザーとして、現在のアップルの製品に満足している」とウォズニアックは言った。「アップルの売上げやマーケットシェアが半分になってしまったらどうかって？　だからなんだというんだ。それでも大企業じゃないか。なくなったりしないさ」

しかし、アップルはアイフォーンの成功にあぐらをかいているつもりはない。アップルは自動車をつくりたい。アップルはホームポッドとシリを成功させたい。スティーブ・ジョブズ・シアターで、アップルTVプラスの番組の予告編を見せる以上の大きな発表を行いたい。

アップルTVプラスは、アイフォーンユーザーからもっとお金を稼ぐためのサービスにすぎない。アップルTVプラス発表イベントでオプラ・ウィンフリーが言ったように、「アイフォーンを持っている人は1億人もいるんだからね」ということだ[22]。

そしてアップルはほかにも、私たちに内緒にしている計画があるようだ。ただしこれらの**夢を実現するには、アップルはその文化を変えなければならない。**

エンジニア思考についてウォズニアックと議論して、アップルにもっと変革があふれるようになるにはどうすればいいかと尋ねてみた。

アップルの共同創設者は最初、自分は経営に携わっていないから、アップルが「もっと変革あふれるようになれるかなんて知らないと言って、その場はやり過ごした。

しかしそろそろ別れようとする間際になって、ウォズニアックはその質問に答えた。

「低い層のマネジャーに決定を任せることだ。低い層にもっと責任をあずけるんだな」

第 5 章

サティア・ナデラとマイクロソフトの再生

Microsoft

2007年に、6億3000万ドルでマイクロソフトに買収された直後の広告会社アクアンティブ内の雰囲気は、お世辞にも明るいとはいえないものだった。

買収のニュースを聞いたある社員は「くそいまいましいマイクロソフトのために働いているわけじゃない」と言い、翌日に辞めた。

スタートアップ企業が多額で買収された際に、このような暗い光景を目にすることはめずらしい。社員たちは一般的に買収を歓迎するものだ。買収によって資金や安定、サポートが得られることで、スタートアップ特有のストレスから解放され、自分の仕事に集中できると考えるからである。しかし、マイクロソフトによる買収だけは別だった。

かつてのマイクロソフトからの脱却

アクアンティブはエンジニア思考を活用して、世界最大級の広告会社になった企業だ。アイデアは社内で自由に行き来した。経営陣が煩雑な事務仕事を廃止したため、社員たちは気ままに創意工夫ができたのだ。

「どの重役の部屋にも意見を聞きに行けたし、同僚とも話し合えたし、内部での競争なんてものはほとんどなかった」と買収された当時のアクアンティブの社員アブデラ・エラミリは語った。「チームはリリースしたいときに発表する自由があって、自主性が重んじられていた」
だが、マイクロソフトは違った。当時のＣＥＯだった販売畑出身のスティーブ・バルマーのもとでは、同社は官僚主義的で仕事が遅く、過去にしがみついていた。ウィンドウズとオフィスという収益の上がる既存のビジネスを守るばかりで、変革よりも儲けを優先して、短期的な効果を目的とした命令と支配の企業文化を築いていた。

パソコン時代の支配的なデスクトップOSのウィンドウズを牛耳るリーダーたちが、ほぼ思い通りにしていたのだ。

「マイクロソフトは古くさく、徹底的に『クラスで一番頭のいいやつ』の文化だった」と同社の元エンターテインメント&デバイス担当役員ロビー・バックは言う。「立ち上がり、意見を述べ、それを強く主張して曲げないほうが勝つ場所だった」

マイクロソフトの傘下に入って、アクアンティブの社員たちは文化の衝突を経験した。先のエラミリによれば、蜜月は短く、いくらもしないうちに「命令が届きはじめた」という。あるときウィンドウズチームが、ＩＥでクッキーを使わない方針を決めたせいで、アクアンティブの中核ビジネスが死にかけた。ターゲティング広告はクッキーを利用しているからだ。

買収後もアクアンティブのCEOとして残っていたブライアン・マックアンドリュースが仕様の変更後にそれを知って猛烈に反対するまで、その変更は取り下げられなかった。**マイクロソフトの社内向けテクノロジーの質の低さもまた、アクアンティブ社員の頭痛の種だった。**マイクロソフトではAIはまだ手つかずで、そのうえウィンドウズを大事にしすぎて他社製のツールの使用を認めなかった。

マイクロソフトの社員が職場にアップル製品を持ち込んだら、たとえその製品向けアプリを開発するためであっても仲間外れになった。そんな雰囲気ができたのは、バルマーが会議でアイフォーンを破壊するまねをしたからだ。

「買収後に生じた最初の問題は、マイクロソフトの技術でなければ使ってくれないということだった」とエラミリは言う。「レドモンドでつくられたものでなければダメなんだ」

2012年にマイクロソフトは、アクアンティブの6億3000万ドルの価値を実質的にゼロにする評価損を計上した。損失計上の原因がマイクロソフトの文化であることは、関係者全員にとって明らかだった。

アクアンティブの元経営陣は当時、「ギークワイヤ」のインタビューで「広告収入とソフトウェア収入の関係や、グーグルがソフトウェアを無料にすると計画していることについてどれだけ説明しても、ウィンドウズにとりつかれた文化を改められなかった」と話している。[1]

マイクロソフトがアクアンティヴを損失計上したのと同じ週、「バニティー・フェア」がバルマー時代を「マイクロソフトの失われた10年」とする記事の見本を配布した。[2] その記事は、アクアンティヴの大失敗が例外ではないことを暴くものだった。「比類なき才能をもった若きビジョナリーが率いる、無駄のないレーシングカーとして始まった企業は、革新的なアイデアを抑圧するほうがマネジャーたちの得になるような企業文化のせいで、無駄でふくれあがった煩雑な事務仕事ばかりの会社に変わってしまった」と記事は書いている。[3]

アクアンティヴが消滅したため、エラミリはマイクロソフトのスカイプグループに転属になった。そしてその場所から、変化の風が吹き込むのを目撃した。2014年にバルマーが辞任し、22年間マイクロソフトで勤めあげてきたサティア・ナデラに道を譲ったのだ。[4]

自身を「たたきあげ」と評するナデラは、マイクロソフトが生き残るためには変革を再び盛り上げる必要があることを理解していた。

同社がモバイル革命に乗り遅れる原因となっていたのは、ウィンドウズへのこだわりだった。世界でもっとも重要なOSは、すでに競合のアップルとグーグルの手中に落ちていた。

もはやウィンドウズにしがみついてはいられない。マイクロソフトはその中核ビジネスを危険にさらしても、まだ希望の残る分野であるクラウド・コンピューティングに注力しなければならなかった。

さもないと、ベゾスが言った「実態とのずれ、続いて耐えがたくつらい衰退がきて、死にいたる」道をたどるしかなかった。だからナデラは、ワシントン湖の対岸にあるアマゾンをお手本に、マイクロソフトを「創業初日」に戻したのだ。

マイクロソフトを再創造するには、ナデラはまず同社の文化を考えなおさなければならなかった。マイクロソフトには、**アイデアが部署を越えて伝わることを妨害する障壁が多すぎたし、変革の力も衰えていた**からだ。この状態を好転させるため、ナデラは買収前のアクアンティブのような組織を目指して、マイクロソフトの体制を変えていった。

階層主義を打ち壊し、ボス猿的な社員たちを解雇した。AIを使って実務ワークを削減し、変革をうながした。さらにサイロ化の解消や、共感の強調、全権を握るウィンドウズグループの解体などによってコラボレーションを促進した。

「バニティー・フェア」の記事には「マイクロソフトの失われた10年は、ビジネススクールで成功の落とし穴のケーススタディに使えるだろう」とあった。

現在のマイクロソフトは、新たなケーススタディといえる。マイクロソフトはナデラのもとで歴史的な立ち直りを見せた。**ナデラは同社の過去よりも未来を優先し、エンジニア思考を活用することで、その再興をもたらした**のだ。

資産の搾取者と未来の語り手

カリフォルニア州パロアルトにはめずらしい雨の日に、私はスタンフォード大学大学院ビジネススクールの3階にあるスーザン・エイシー教授の部屋を訪問した。エイシーは、シリコンバレーではめずらしく率直な物言いをする生真面目な学者だ。

以前、私が需要と供給の法則を無視した研究のうそを暴いたときに、力を貸してくれたことがある。またスティーブ・バルマー時代のマイクロソフトで、チーフエコノミストとして働いた経験があるため、同社の「失われた10年」とそこからの脱出方法について語るのにもっとも適した人でもある。

エイシーは会議の合間をぬって会ってくれた。スタンフォード大学の彼女の研究室は、書棚からあふれた本が肩の高さまで積み上がり、ホワイトボードは書き込みだらけだった。

私が座るとエイシーは自分の椅子にもたれて、マイクロソフトの過去がいかにその未来を妨げているかについて話しはじめた。

　エイシーいわく、**バルマー時代のマイクロソフトでは派閥争いがひどかった。**片方は「**資産の搾取者**」として、稼げるウィンドウズビジネスをとことん利用して利益を搾り取るべきだと考えていた。もう一方は「**未来の語り手**」で、ウィンドウズの売上げを減らす危険を冒してもコンピューティングの次世代に備えるべきだと考えていた。

「こんなに大きな資産があるのだから、それが息絶えるまで、できる限り多くの利益を引き出すべきだと考える人もいました。それも否定はしません」

　10年以上もデスクトップOS市場の90パーセント以上を占めていたウィンドウズについて、エイシーはそう話す。「他方の意見は、マイクロソフトは新しい領域でも成功して利益を上げられる。しかしそのために、古い領域から吸い上げられるだけのすべてを搾り取る必要はないというものです」

「**資産の搾取者**」と「**未来の語り手**」**の最大の争いは、クラウドをめぐるものだった。**マイクロソフトには、２０００年代初頭にできたサーバー&ツールズ部門がある。この部門は、顧客がマイクロソフトのプログラムをデスクトップパソコンにインストールして運用するのをサポートすることが仕事だった。

2008年までに、サーバー&ツールズは24四半期連続で二桁台の成長を遂げ、130億ドル規模のビジネスになった。[5]これは、当時のマイクロソフトの全収益の20パーセントに当たる。[6]

サーバー&ツールズの顧客のなかには、ほかへ販売するプログラムを開発している企業もあったが、多くは自社内で使うアプリケーションをつくっていた。

インターネットの通信速度が上がると、企業は社内用アプリケーション（電子メールサーバーなど）を外部に置いて、ウェブブラウザ上で使うソフトウェアをつくるようになってきた。つまり、クラウド・コンピューティングである。

このクラウド・コンピューティングの兆候をとらえ、**マイクロソフトはクラウドに手を出すか、やるならどこまで本気で取り組むのか、その方針を決めなければならなかった。**

クラウド・コンピューティングは前途有望な分野だったが、マイクロソフトのウィンドウズビジネスを脅かす存在でもあった。ソフトウェアがクラウドに置かれるようになったら、ウィンドウズOSは必要なくなってしまう。

アプリケーションへのアクセスに使うOSは、ウィンドウズだろうが、アップルのマックOSだろうが、グーグルのクロームOSだろうが、どれでもいいからだ。

さらにマイクロソフトの高価な社内向けサーバーも、不要になると思われた。「**資産の搾取者**」にとって、利益の大きなサーバー&ツールズ部門の方向性を変更してウィンドウズを弱体化させるのは、破滅的な行為にほかならなかった。

一方「**未来の語り手**」は、このような方向転換によってこそ、重要なビジネスになると予想されるクラウドサービスに先鞭をつけられると考えた。

クラウドを後押しするなかで、「未来の語り手」は障害に突き当たった。マイクロソフトの顧客たちが口々に、絶対にクラウドには移行しないと言ったのだ。これらの顧客は主に企業の最高情報責任者（CIO）で、その会社のソフトウェアの購入・インストール・維持管理・評価を一手に引き受けていた。

CIOにすれば、販売部門やマーケティング部門などの個別の部署がウェブ上に置かれたソフトウェアをそれぞれ購入するようになって、自分の権力や影響が小さくなるのはありがたくなかったのだ。

エイシーによれば「CIOに向かって『あなたの業務をなくして、クラウドでできるようにしたいですか』と聞いたら、たいていは『いいえ』と答えますよ」

マイクロソフトは当面、このようなCIOからの意見に納得していた。しかし、同社の企業戦略チームとエイシーがさらに突っ込んだ分析を行うと、聞いていた話とは反対のことが判明した。「何年か経つうちにこれらのCIOはみな、クラウドへの移行に賛同するか、あるいは解雇されました」とエイシーは分析結果を説明した。

マイクロソフトが座視している間に、アマゾンがAWSを構築してクラウドサービスの先陣を切った。バルマーが辞任を発表した2013年までに、AWSは毎年60パーセントの成長を遂げ、90億ドル規模のIaas市場の37パーセントを支配するようになった。[7]

一方のマイクロソフトは、市場の11パーセントと大きく後れをとった。

ナデラの「創業初日」精神

マイクロソフトはオフィスでも同じような決定を迫られていた。オフィスはウィンドウズハードウェア用の主力製品で、多くはワードやエクセルを使うために購入されていた。オフィスをモバイル機器やウェブブラウザでも使えるようにしてしまったら、ウィンドウズにとって脅威になる。ブラウザでオフィスを使えるようになったら、売れ行き好調なデスクトップ製品に悪影響が出かねなかったのだ。

「資産の搾取者」側は、オフィスを原則的にデスクトップパソコンにインストールしないと使えないようにしておきたかった。一方で「未来の語り手」側は、迫りくるモバイルとクラウド・コンピューティングの時代を見越して、オフィスをどこでも使えるものにしたかった。

バルマー時代のマイクロソフトのオフィス戦略は、おおよそ「資産の搾取者」の望みに沿ったものだった。グーグルがドキュメントやスプレッドシートを発表したとき、マイクロソフトはウェブ用のオフィスをつくるどころか、ＩＥの高速化もオフィスのオンライン化もしなかった。

数年後になって、マイクロソフトはウェブ用に機能制限版のオフィスを公開し、さらにモバイル用オフィスも発表した。しかし、それはウィンドウズのハードウェア専用だった。そのうえ、ウェブ版オフィスの公開は目立たないようにこっそり行われたので、社員でもその存在に気づいていなかったほどだ。

エイシーいわく「ちょうどマイクロソフトにかかわっているころに最初のウェブ版オフィスが使えるようになったので、プレゼンテーションでウェブ版オフィスに触れると、『そんなものがあることも知らなかった』と言われました。ひどい話でしょう。社内でさえウェブ版オフィスの存在を知らない人はめずらしくありませんでした。まして社外では、誰もが『ウェブ版のオフィスなんて本当にあるの？』という反応でした」

両派の激しい争いの最中、バルマーは当時マイクロソフトの検索エンジン「ビング」の担当役員だったサティア・ナデラを、サーバー&ツールズのトップに抜擢した。[8]

ナデラはほかのマイクロソフトの経営陣とは異なっていた。

彼には派手な個性はなく、自分の意見を声高に叫ぶこともしなかった。また、マイクロソフトの方針をめぐる「資産の搾取者」対「未来の語り手」の内戦に加わっていなかった。要するに、突出したところのない平凡な人物だったのだ。

ナデラはビングにかかわるなかで、**コンピューティングの未来をよく理解するようになっていて、マイクロソフトの既存の製品を侵すべきでない存在とはみなしていなかった。**

ビングはいまだに物笑いの種になっている製品だ。「バニティー・フェア」の記事はビングについて「悪魔の笑い声とパイプオルガンの響きにのって登場」と揶揄したことがある。

しかしナデラがクラウドとAIの重要性を学んだのは、ビングでの経験を通してだった。

ビングという検索エンジンは、グーグルと同じように大量のデータ（インターネット上のウェブサイトとそのコンテンツ、そしてウェブサイト間のリンクのほぼすべて）を分類して理解しようとするアプリケーションで、機械学習の対象として特に適していた。

2000年代末に、マイクロソフトのビンググループなどを統括するオンラインサービス部門担当の上級副社長になってから、ナデラはインターネットの未来について猛勉強した。
「検索ビジネスを運営するには、データセンターの経費や効率化のすべてを理解しなければなりません。クラウドでの開発の専門家になる必要があるのです」とエイシーは話した。「それに、A／Bテストや継続的改善、機械学習にも通じていなければなりません。サティアはそのすべてに非常に詳しかったのです」

そして2011年にサーバー&ツールズを引き継いだとき、ナデラは、サーバーやツールをデスクトップ機器向けのソフトウェアを構築する企業に提供するだけでは、もうやっていけないことを理解していた。

アマゾンAWSの急速な成功や経済学者の分析を見て、**これ以上手をこまねいていたらマイクロソフトは衰退するとしか、ナデラには考えられなかった。**

ビングを担当している時期に、市場で大きく水をあけられた二番手のつらさを身をもって学んでいたので、同じことを繰り返したくなかったのだ。

盛況なサーバー&ツールズ部門のビジネス自体は言うにおよばず、マイクロソフトの中核であるウィンドウズという資産にとってもリスクであるにもかかわらず、ナデラはサーバー&ツールズに、クラウド・コンピューティングに集中して取り組むように指示した。

それは明るい未来か、または破滅かの賭けだった。

「彼が私たちの分析を信じてくれたことに、ちょっとゾクゾクしたものです」とエイシーは言った。

バルマーは本書のインタビューには応じてくれなかったが、2013年末にはこれ以上マイクロソフトのために自分ができることはなくなったと認識していた。

彼が与していた「資産の搾取者」一派は、モバイルとクラウドがテクノロジーの世界を支配するようになったことで、信頼を失っていた。**バルマーによるナデラのサーバー&ツールズ担当への任命はまさに同社の転機だった**とエイシーは語る。

しかしバルマー自身にとって、それは遅すぎた。

同年8月にバルマーは辞任を発表した。

バルマーは、マイクロソフトをまだ対処が可能とはいえ、厳しい状態のまま残して去った。彼の最後の大きな仕事だった72億ドルでのノキアの買収は、のちにマイクロソフトがその買収額をほぼ全額損失計上したことを考えると、無能という印象を後に残すものだった。[9]

その一方でサーバー&ツールズ部門では、ナデラがマイクロソフトの未来を築いていた。

それはウィンドウズの権威を否定し、クラウドとモバイルを肯定するという「未来の語り手」の夢見たものだった。

2014年2月4日、マイクロソフトはナデラをCEOに任命した。

マイクロソフトの民主的な創意工夫

マイクロソフトの経営権を握ったナデラにとって、とるべき戦略は明白だった。この新CEOが担当してきたアジュールとビングという経歴を見れば、彼がモバイルファースト、クラウドファーストの精神をもっていることに疑問の余地はなかった。就任当日に彼が全社に送った電子メールは、そのことをはっきり述べている。[10]

「私たちの業界は伝統を重んじはしない。イノベーションだけが大切なのだ。私たちの仕事は、マイクロソフトがモバイルファースト、クラウドファーストの世界を生き抜けるようにすることだ」

ナデラの責務のなかで、戦略の選択はむしろ簡単な部類だった。

ナデラにとって厄介なのは、企業文化への対処だった。彼が引き継いだマイクロソフトは、新しいものをつくりだすよりも、ウィンドウズとオフィスを改良することを重視してきたため、社員が壮大で新しいアイデアを出しにくい場所になっていた。

経営陣は市場を独占している状態に慣れきって、マイクロソフトの製品だったら売れるに違いないとうぬぼれ、消費者が求める製品をつくろうという気持ちを失っていた。**新たに競争の激しいクラウドサービス市場に参入するには、マイクロソフトはそのメンタリティを捨てるしかなかった**のだ。

「マイクロソフトではユーザーに配慮しないのが普通だった」と、ある元製品マネジャーは話した。「製品グループの大半は、できあがったものについて気にもかけなかった」

マイクロソフト社内に変革の新時代を開くため、ナデラはまず社員に対して、再び壮大なアイデアを考え出していいのだと伝えた。就任初日の電子メールで彼は次のように書いている。「わが社には、誰でも新しいアイデアを出していいということを重視しない傾向がある。それを変えなければならない」

さらに、マイクロソフトが買収した企業の創設者たちに向けて毎年リーダーシップ・リトリートを開催したり、スタートアップ企業をマイクロソフトの本社に招待して経営陣に若い企業の考え方を学ばせたりすることで、経営チームをスタートアップ的思考に触れさせた。[11]

2017年末に退職するまでマイクロソフトで24年間勤めあげ、CXO（チーフ・エクスペリエンス・オフィサー）になったジュリー・ラーソン・グリーンによれば、「いろんなスタートアップ企業がやってきては、自社のビジネスや企業文化、会社の運営方法について話をしたので、さまざまな考え方や新しいアイデアに触れることになった」という。

ナデラはまた、製品試作用の物理的・仮想的スペースであるマイクロソフト・ガレージを拡張して、同社が実験的なアプリケーションを発表する一般公開のウェブサイトをつくった。[12]

このウェブサイトに現在掲げられている言葉は、まるでアマゾンの標語のようだ。「弊社は常に『口先だけでなく、手を動かせ』というモットーを中核においています[*1]」

そして、毎週金曜日のスタッフミーティング「リサーチャー・フォー・アメージング（驚異の探索者）」では、全社から変革あふれる新しいプログラムをつくった社員を呼んで、プレゼンテーションさせる仕組みをつくった。

新たな変革あふれるエネルギーで社内を満たすためには、マイクロソフトを消費者の求めるものをつくる会社に変える必要があった。そのためナデラは、製品チームに対してマイクロソフト社内ではなく、消費者のニーズに目を向けて、消費者が生活するなかで何を経験しているかを調査するように指示した。

共感をもったものづくりをしろということだ。

マイクロソフトの現在の製品マーケティングマネジャーは「共感をもったものづくりと

は、消費者が何を求めているかを考えるだけでなく、消費者の身になるということです」と話していた。

「企業哲学の変化は、製品や性能について話すことをやめて、誰が、なぜこれを使うのか、どうやって差別化をはかるかについて事細かに話すようにすることから始まった」と元マイクロソフトの製品マーケティングマネジャーで、プレゼンテーション・プログラムのスウェイを担当していたプレータ・ワイルマンは話す。

ワイルマンによれば、ナデラがCEOになってから約1年後に、チーム全体で（すなわち製品マーケティングマネジャーも、デザイナーも、エンジニアも、誰もかれも）**仕事を後回しにして2週間かけて、マイクロソフトのソフトウェアを使いたいであろう消費者のタイプについてブレインストーミングした**という。

それから、想定したタイプの消費者がどんな生活を送っているかを知るためにインタビューを行った。

「マイクロソフトのソフトウェアについてはまったく考えず、相手がどんな人で、日常生活のなかにどんな場面があるかを想定することから始めようとしました。どういう場面があるかを理解してから、その場面で私たちのソフトウェアが使えるかどうか検討したのです」

ブレインストーミングを重ねて、ワイルマンのチームは製品のさまざまな機能のなかに、社内では「売り」だと思っていたのに、ユーザーは求めていなかったものがあることを認識した。同社の製品のターゲットである小規模ビジネスは、実はもっと単純明快なものを求めていたのだ。

「ほとんどの場合、顧客は私たちのつくっているソフトウェアのかなり多くの要素に関心がありませんでした」とワイルマンは話す。そこで、チームはフィードバックに従った調整を行った。「驚くほどすっきりしましたよ」

共感を持ったものづくりは、マイクロソフトのクラウド事業「アジュール」で特に有益だった。同社は、クラウドなど必要ないと主張する顧客に、クラウドを売らなければならなかったからだ。

ビングを担当していたころにクラウドを使う側を体験していたナデラは、顧客であるCIOの身になることをアジュールチームに求めた。これらの顧客、すなわち銀行などの大規模で動きが遅い企業が、クラウドに移行するには長い時間がかかると思われたからだ。

そのためマイクロソフトは純粋なクラウドサービスのほかに、クラウドとデスクトップの両方をサポートしたハイブリッドなサービスを用意し、各社のCIOとの関係を保ちつつ顧客企業を段階的に未来に向かわせる移行方法を提供した。

このモデルは、マイクロソフトをアマゾンＡＷＳと差別化するものだった。マイクロソフトの社内調査によれば、ＡＷＳで販売しているソリューションでは、原則的にソフトウェアアプリケーションはすべてクラウド上に置かれていたからだ。

「マイクロソフトは長年法人向けの事業を展開してきた。ＣＩＯたちはマイクロソフトを信頼していたし、現在もそれは変わらない」と話すのは、マイクロソフトに多額の投資をしているベッカー・キャピタル・マネジメントの資産管理担当者シド・パラクだ。「マイクロソフトがいい製品を提供すれば、顧客は喜んで購入するだろう」

機械学習の販売への応用

さらにナデラは、社員がアイデアを考え出して、そのアイデアを適切な人に届ける道筋を見つけることに、より多くの時間を使えるようにする必要があった。そして、そのためにナデラはＡＩを取り入れた。

マイクロソフトの販売組織では、現代の一般の企業と変わらず、販売担当者が連絡すべき相手や内容、その優先順位などを見つけるために、顧客関係管理（ＣＲＭ）ツールを掘り返す仕事にかなり多くの時間を費やしていた。

この作業はほとんど付加価値のない仕事で、機械学習技術によって縮小できるものだった。機械学習を使えば、販売データをふるいにかけて過去に同様の顧客でどんな事例があったかを検証し、もっとも成立の可能性が高そうな取引を予測できる。

機械学習の販売への応用は、マイクロソフトのように世界トップレベルのAI研究者を抱える企業には自明の戦略だったはずだ。しかし、ナデラが2016年に同社のAI部門を再編成して、その一部に実用化に取り組むよう指示するまでは、真剣に考えられたことがなかった。

「現在、わが社のコンピューティング・プラットフォームやエクスペリエンスで提供するあらゆるものに、AIを浸透させているところである」と当時ナデラは書いている[13]。

AI部門の再編成に続いて、マイクロソフトは、同社のAIリサーチャーを対象にベンチャーキャピタルふうの事業計画売り込み委員会を設立した。

この委員会でリサーチャーの売り込みが採用されれば、資金が提供され、プロトタイプ作成のため数週間の時間が与えられる。そしていくつかの目標が達成できれば、さらに数カ月間の製品構築に向けた時間がもらえる。

当時のリサーチャーだったプラブデープ・シンは、マイクロソフトを辞めて自分の会社を立ち上げようと考えていた。一方、研究組織の担当役員はシンの計画を聞いて、自分で会社をつくるのはこの委員会で売り込みをして技術を磨いてからにしてはどうかと勧め、シンはそのアドバイスに従うことにした。

マイクロソフトで何に機械学習を応用すればよいかと考えたシンは、最大のチャンスを販売に見出した。

「人工知能を使えそうなところで、すぐに目に見える結果を出せる分野といえば、販売とマーケティングだった」とシンは語る。「収益の伸びを見れば、うまくいっていることがひと目でわかるからね」

シンは売り込み委員会で、デイリーリコメンダー（別名ディープCRM）という機能の構築を認められた。デイリーリコメンダーは機械学習を使って、マイクロソフトの販売担当がとれるアクションをすべて分類し、もっとも価値の高いアクションを1つずつ順番に提案する仕組みで、販売担当はその提案を受け入れるかどうかを選択できる。

このツールは、CRMなどのわかりにくいシステムをひっかきまわして、次に何をすればいいかを見つけ出すという骨の折れる仕事を消し去ってくれた。

デイリーリコメンダーは現在でも使われており、一顧客につき1000個ものデータを検討して提案を作成する。検討するデータには、同様の状況で別の顧客ではどうなったかも含まれる。その販売担当本人が受けもった顧客以外のデータも検討対象になる。

このツールは「Xという顧客が資金を獲得したから、または成長しているからXに連絡しろ」とか、「Yという顧客の製品利用率が落ちていて、別の製品に移行しそうだからYに連絡しろ」といったアクションを提案してくれる。

「このツールは、チャンスを見つけて比較し、もっとも可能性の高いものを第一に提案します」とこの機能の構築を監督したマイクロソフトの元エンタープライズCTOノーム・ジューダは話した。

デイリーリコメンダーは稼働しながら学習する。

たとえば販売員が1日に50個のアクションを実行できたら、それに合わせてもっと多くの提案を出す。販売担当が20個しか実行できなかったら、それに合わせて提案を減らす。

提案されたアクションに従って取引を成立させたら、システムはそれがよい提案だったと学習する。販売担当が提案を受け入れずに取引を成立させた場合は、その提案は間違いだったと学ぶ。

「販売員は、顧客のとりそうな行動や購入しそうな状況を把握しています」とジューダは話す。「しかもシステムが履歴を溜めれば溜めるほど、直感だったものがアルゴリズムになっていくのです」

デイリーリコメンダーは現在、主にマイクロソフトの中小規模ビジネス担当販売員に使われている。もっと大規模なビジネスについては、顧客が次に購入しそうな製品を提案する別の機械学習ツールを使う。

これらのシステムが導入された当初、シンのチームが心配したのは、マイクロソフトの販売員たちがそんなツールがないほうが生産性が高いと感じて、反感を抱くのではないかということだった。しかし対照実験が始まっていくらもしないうちに、ツールを使っていない対照群の販売担当から、自分たちも使いたいという声があがるようになった。

シンによれば、彼がマイクロソフトを辞めるまでに、AIを販売に応用することで収益が2億ドルも増えたという。しかしそれよりも重要なのは、販売担当の実務ワークに費やす時間の削減にこのツールが役立ったということだ。

これらの機械学習システムによって実務ワークが削減され、マイクロソフトの販売チームはもっと多くの時間を顧客との対話に使えるようになった。

顧客と深いつながりを持つ販売チームの顧客との対話は、マイクロソフトがより消費者側に立った製品開発プロセスに移行する際に、同社の製品の方向性にまで影響をおよぼした。

「あれもこれも、実に多くのことが販売担当だのみだった」とシンは語る。「顧客のニーズを探り当て、そのニーズを計算できるかたちにして、どうすればマイクロソフト製品がそのニーズを満たせるかを説明し、顧客からのフィードバックを製品チームに伝えるのは、全部販売担当の仕事だった」

マイクロソフトはその後、機能や性能に対する要求をまとめるソフトウェア「ワンリスト」を採用して、製品に関するアイデアを販売から製品のチームに伝えるために利用している。「要望をすべて1カ所に集約して、それからエンジニアリング部門のトップがそのリストの責任を引き継ぎます」とジューダは話す。「要望を認識することもそうですが、認識した要望を計画に組み込んだり、優先度を上げたりすることがさらに重要な部分なのです」

現在、マイクロソフトはクラウドベースの顧客関係管理システムであるマイクロソフト・ダイナミクスのなかに、デイリーリコメンダーの後継となるリレーションシップ・アシスタントをおいている。

一方、シンは2018年にユーアイパスに移り、マイクロソフトの外側でも実用性のある

ＡＩアプリケーションを使えるようにすべく働いている。そしてマイクロソフトは再び、ユーザーが使いたい製品をつくる会社になっている。

階層主義という足かせを取り除く

ナデラが変革あふれるアイデアを出すようううながしても、経営陣が受け入れなければ、ものの役にも立たないに違いない。マイクロソフトの文化を再編するには、まず経営陣が社員の意見を聞くようにすることから始めなければならなかった。

バルマー時代のマイクロソフトは、一般社員からのアイデアに重きをおいていなかった。ウィンドウズという主要製品の改良に専念していたため、創意工夫の能力を生かすところがなかったのだ。

一般社員がアイデアをトップに直接届ける道筋は存在しなかった。直属の上司が同席していなければ、それより上の人間と話すこともできなかった。

会議は意見を聞くためのものではなく、方針を声高に伝えるものだった。

マイクロソフトの階層主義が長年にわたって、社員やアイデアの足かせになってきたのを知っていたナデラは、ベストセラーになった自著『Hit Refresh――マイクロソフト再興とテクノロジーの未来』（日経BP社）で自分のいらだちについて書いている。「わが社の文化は硬直化していた。階層主義と序列が幅を利かせ、その結果、自発性と創造性が損なわれていた」

階層主義から社員やアイデアを解放するため、ナデラはフェイスブックとまったく同じ戦略をとった。フィードバックの文化をつくったのだ。

社員が担当役員と四半期ごとに会う「コネクト」というフィードバック面接を始め、従業員とのQ&Aミーティングも開始した。さらに、自ら社員の意見を聞いた。

「CEOになってからの数カ月間は、多くの時間を意見を聞くことに費やした」とナデラは書いている。「聞くことはもっとも重要な日課だった。そこで聞いた意見が、その後の私のリーダーシップの基盤をつくり上げた」

意見を聞くという方針は、バルマーのやり方とはまったく違っていたが、ナデラのそれまでの行動とは一貫したものだった。入社以来、彼は若手の社員たちを食事に誘っては、テクノロジーがどこへ向かうかについての意見を聞いていた。

「サティアは私の意見を知ろうとしました」と2000年代初頭にナデラと一緒に働いた元マイクロソフト社員は話す。「上級役員が23歳やそこらのプログラムマネジャーに『このスタートアップをどう思う』と聞くなんて想像もしていませんでした。私に時間をくれる役員なんて、ほかにいませんでしたね」

「ナデラのやり方は、同社のリーダーシップを再び社員に近いものにした」とマイクロソフトの社員や元社員たちは証言する。

「どんな会議でも、どんなときにも、彼は自分の知っていること、知らないことについて開けっぴろげでした」と話すのは、元CXOのジュリー・ラーソン・グリーンだ。「そのおかげで、ほかの多くの人が自分の考えを話せるようになりました」

ナデラはほかにも、マイクロソフトの階層主義的な文化の遺物を捨て去った。それについては、現在でもユーチューブの動画で確認できる。[14]

バルマーの時代、例年の全社員ミーティングはCEOが壇上で熱弁し、音楽が鳴り響くなかで「私はわが社を愛している」といったキャッチフレーズをがなり立てるものだった。

これらのイベントの動画はオンラインで何万ビューもの視聴数を稼ぎ出してきたが、それは主におもしろがられていたからだ。

当時のマイクロソフト社内では、バルマーはのどに効くハチミツを一気飲みしてから登壇するといったうわさが流れたほどだ。ユーチューブでは「クスリでもやってるんじゃないの」というコメントもついている。

バルマーの異様なしぐさは、彼が支配するマイクロソフトの階層主義的な性格をよく表していた。同社では、役員たちは社員から意見を聞くのではなく、命令を押しつけるのが普通だったのだ。

CEOを引き継いだとき、ナデラはこの年次ミーティングを中止した。照明と音楽の祭典の代わりに、彼は毎年「ワンウィーク」という社員集会を開くことにした。

ワンウィークの主なイベントはCEOが檄(げき)を飛ばす集会ではなく、短期集中のハッカソンだ。ハッカソンについて、ラーソン・グリーンはこう話す。

「事務方や法務部のスタッフも、財務部の人間も、アイデアを出す力になります。マイクロソフトは、一般の人の日常生活を向上させるための製品をつくっています。そのためには、自分自身で実際にそういう生活を送り、一般の人がどんな人間で、何に関心があるのかを理解しなければなりません」

ナデラはさらに、同社の中間管理職が多すぎる問題に取り組んだ。

「バニティー・フェア」がマイクロソフトの失敗の原因を分析した記事でも、この中間管理職の多さを特に取り上げている。

「管理職に就こうとする社員が増えるとマネジャーが増え、マネジャーが増えると会議が増え、会議が増えると書類が増え、煩雑な事務仕事が増えるとイノベーションが失われる。ある役員によれば、何もかも遅々として進まないという」

そこでナデラは、マイクロソフトの中間管理職の権限を小さくするという戦略をとった。つまり、上下から圧迫したのだ。

ナデラは経営陣との会議で、ボトルネックにならないことの大切さを力説した。そして『Hit Refresh』を書き、マイクロソフトの一般社員に特別版を贈ることで、自分のビジョンを一般社員にいたるまで浸透させた。そうして同書を読んだ一般社員たちが、上司であるマネジャーにナデラの反階層主義を伝えるという効果が現れた。

「サティアは上から、社員たちは下から、マイクロソフトの文化を変えたのです」とラーソン・グリーンは言う。「だからこそ実際に中間層を配置換えする必要も、中間層に抜擢するためにその下の層を育てる必要もありませんでした」

現在もマイクロソフトは、バルマー時代の階層主義の名残をとどめている。社員たちはいまだにマネジャーのダメさ加減や障壁の存在に不満を漏らす。しかし**ナデラのもとでは、バルマーのころにはありえなかった道筋を通ってアイデアが下からあがってくる。**

「社員たちは好奇心にあふれ、熱心に学び、消費者の気持ちに興味を持つようになりました」とラーソン・グリーンは話す。「答えを出さなければならないというプレッシャーよりも、問題を理解しなければならないというプレッシャーを感じるようになったのです」

マイクロソフトのコラボレーション

マイクロソフトは社内で利害が衝突する企業だ。[15] 各チームの野心が重なりあって、真っ向から対立することも多い。

たとえばマイクロソフト・オフィスの利益は、ハードウェア製品の利益と本質的に相いれない。オフィスはどこでも使えるものを目指しているため、できる限り広い市場に手を伸ばしたい。しかしマイクロソフトのハードウェア側は、オフィスを自社の製品だけで使えるようにしておいて、ワードやエクセルの信者たちがマイクロソフトのハードウェアを買わざるをえなくしたい。

ウィンドウズとアジュールにも、同じような利害の衝突がある。アジュールの勝利はウィンドウズの敗北になる。

このような利害の衝突は、マイクロソフトのあらゆるところに存在する。そして経営陣の力不足と相まって、激しい内部抗争の原因となってきた。

マイクロソフトの各部門のコラボレーションは、ナデラが同社の経営を引き継いだときも非常に難しい課題だった。マイクロソフトが未来に向かうためには、社員同士がいがみ合っているわけにはいかない。

ナデラは自分のビジョンを実現するため、内部抗争の激しい社内においてコラボレーションを教える必要があった。ナデラは先に紹介した著書に次のように書いている。

「わが社は1つの会社、1つのマイクロソフトであって、ばらばらの部門が寄せ集まった組織ではない。イノベーションと競争には社内のサイロ化や境界線は無用であり、私たちはそのような障壁を超えることを学ばなければならない」


マイクロソフトに再びコラボレーションをよみがえらせるため、ナデラはスタンフォード大学の心理学者キャロル・ドゥエックの提唱した概念を引用し、**社員に「成長マインドセット」をもって働くようにとうながした。**

2007年の著書『マインドセット――「やればできる!」の研究』(草思社)でドゥエックは、自分は成長できると信じている人のほうが、自分には超えられない限界があると信じている「硬直マインドセット」の持ち主よりも、うまくやれる傾向があると述べている[16]。

ナデラはその考え方をマイクロソフトに適用した。

同社にとって成長マインドセットを取り入れることは、**各部門だけでできることにこだわらず、会社が成長するのに一番役立つことに集中するという実践**だった。

「私たちは、他人のアイデアにオープンになる必要がある。別の人が成功したからといって、自分が損するわけではないのだ」とナデラは、2015年の社員に向けた電子メールで書いている[17]。

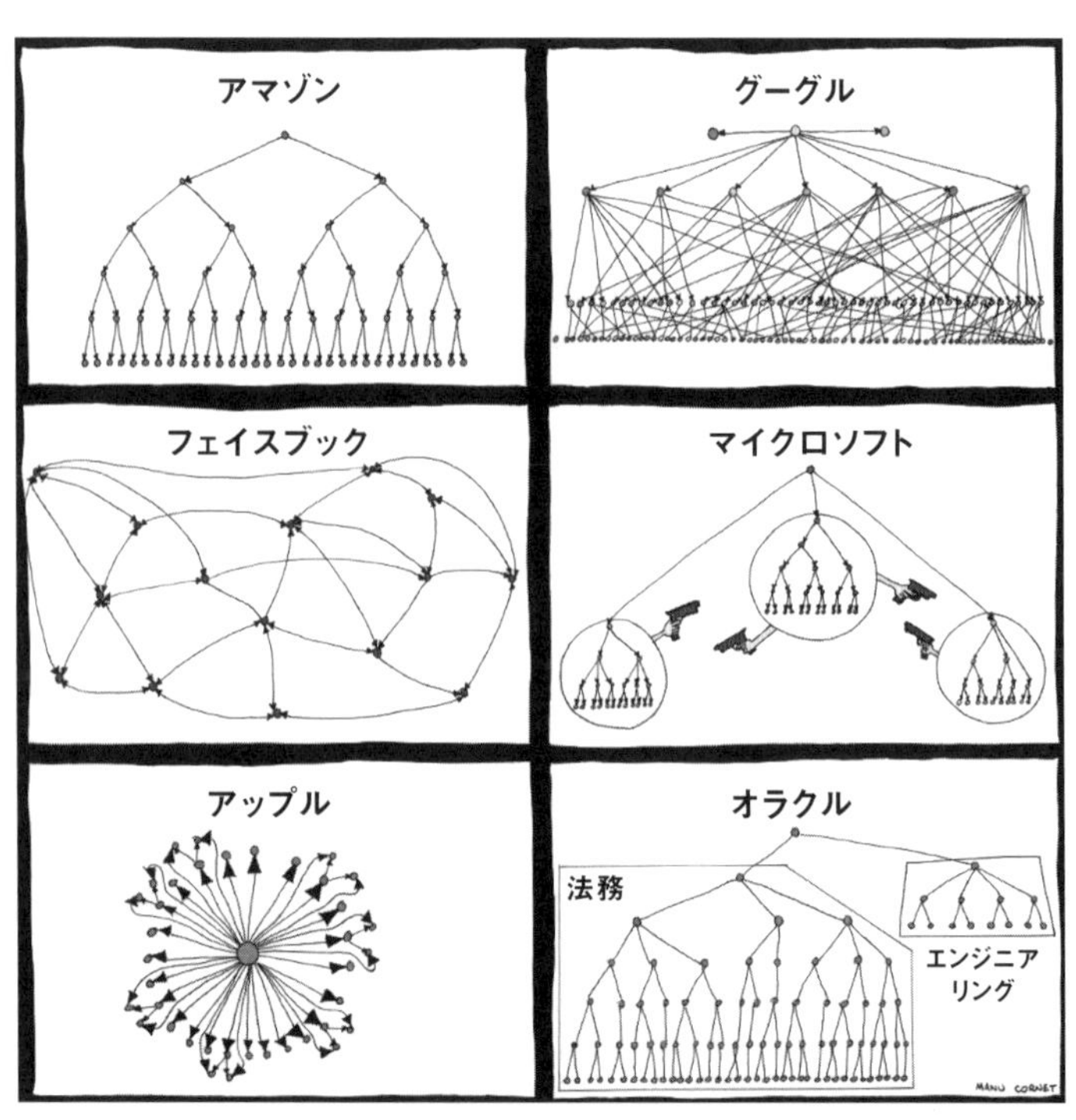

出典：Manu Cornet, www.bonkersworld.net

成長マインドセットの文化

この電子メールが送られた直後から、マイクロソフト社員に成長マインドセットを持つようにうながす表示が、社内の会議室に掲示されはじめた。そして、社員たちはおたがいにそのメッセージを強化しあうようになった。

「成長マインドセット、それは本当に偉大なキャッチフレーズです。社員たちはこのキャッチフレーズをひたすら繰り返しています」とマイクロソフトのある上級製品担当役員は話してつづけた。

「イントラネットでも、全社集会でも、部門別集会でも、勤務評定でも、成長マインドセットが話題に上ります。あらゆるところに成長マインドセットがあり、そこから逃げることはできません」

成長マインドセットをもった経営とは、マイクロソフト・オフィスの制約をなくしてあらゆるOS上で稼働できるようにすることであり、マイクロソフトのハードウェアだけにとっての利益を、より大きな利益の可能性のために犠牲にすることを意味した。

ナデラは、一般向けの最初の製品プレゼンテーションにおいて、iOS用オフィスのデモを行うことでこの点をはっきりさせた。[18] そしてすぐにマイクロソフトのリッチモンド本社で、アップル製品が見かけられるようになった。

「私たちは、ユーザーが何を使っているかをもう気にしてはいません。関心があるのは、ユーザーがどのプラットフォームでも、オフィスやダイナミクス、アジュールといったわが社のサービスを購入してくれることだけです」と元マイクロソフト上級コンサルタントのステファン・スミスは話す。「**これこそが、マイクロソフトが急成長している理由です。制約を取り払ったのです**」

成長マインドセットを社内に植えつけたナデラは、続いてそれを支えるかたちにマイクロソフトの構造を再構成した。2018年3月29日、彼はウィンドウズ部門を2つに分割した。「ブルームバーグ」いわく、マイクロソフトの「ここ数年で最大の再編」だった。[19] ウィンドウズ部門の大部分は、新設されたクラウド&AI部門に異動し、かつての宿敵だったアジュールと統合された。

一方、ウィンドウズ・ハードウェアチームは、新設のエクスペリエンス&デバイス部門に異動して、オフィスと統合されたために利害のすり合わせをしなければならなくなった。

エクスペリエンス&デバイスという名称は適当につけられたわけではなく、ハードウェアよりも体験(エクスペリエンス)を先におくという意図が込められていた。

ナデラはこの変更を知らせる電子メールに「**組織間の境界によって、顧客のためのイノベーションを阻害するわけにはいかない。だからこそ、成長マインドセットの文化が重要なのだ**」と書いている。[20]

ナデラはまた、マイクロソフトの買収方針も改めた。同社が2016年にリンクトインを260億ドルで買収した際、ナデラはリンクトインCEOのジェフ・ワイナーに両社の統合を任せた。[21] そして、ワイナーをマイクロソフトの最高幹部会に加えた。

自分に直接報告できるようにすることで、リンクトインの社員たちに彼らのアイデアが尊重されるのだと保証して、スムーズな移行をはかったのだ。

「リンクトインの社員は、『安心してほしい。君たちがずっと信頼してきたボスが、君たちのためにならないことをするはずがない』と言われたわけだ」とケビン・スコットは話した。「サティアは本気で、リンクトインが必要だと考えるレベルの自律性を与えると伝えたんだ」

マイクロソフトによるリンクトインの買収は、アクアンティブの場合とは異なっており、その違いは結果に現れた。リンクトインの収益は毎年25パーセントずつ上昇している。[22]

マイクロソフトにおけるコラボレーションをうながすナデラの計画の最後は、社員の業績評価の変更だった。マイクロソフトは長年、社員同士の対立をよぶ「スタックランキング」という勤務評定システムを採用していた。

この恐ろしいシステムは、マネジャーに社員の成績をランク付けさせるものだった。チームがどんなにうまくいっていても、メンバーの成績に差がなくても、前もって決められた人数に従ってランクが振り分けられた。

ある元シニアマネジャーはこう話す。「チーム内の全員が同じ技術レベルだったとしましょう。それなのに多額のボーナスをもらう人もいれば、解雇ギリギリになる人もいる。そこまで極端ではないにしても、その可能性は否定できません」

そのため社員たちは妨害しあい、一線級の才能を持つ社員たちがたがいに協力を拒むようになった。「バニティー・フェア」の記事はこう書いている。

「マイクロソフトのカリスマ社員たちは、低いランクが付けられることを恐れて、ほかの一流開発者たちと協働しなくてすむためならなんでもする。マイクロソフトの社員たちは自分の仕事をがんばるだけではなく、同僚がまともに仕事をしないようにもがんばる」

バルマーは同社を去る前に、スタックランキングを廃止した。そしてナデラは白紙の状態から、バルマーとはまったく異なるシステムを導入した。

現在のマイクロソフトでは個人のインパクトは業績評価の3分の1しか占めず、残りはほかの人の成功に力を貸したことやほかの人の仕事をつくるために行ったことで評価される。ランク付けは課せられない。

「**何をもたらしたかと並んで、『どうやって』その結果を出したかが重要になりました**」とラーソン・グリーンは話す。「会議でほかの人をつぶしたり、協力的でなかったり、人の足を引っ張ったりしたら、チームを大切にしながら同じだけの貢献をしている人と同じだけの報酬を得られなくなるわけです」

ナデラによる改善があったとはいえ、マイクロソフトはいまだに完璧な職場ではない。職場での女性の待遇は特に弱い分野だ。2019年の春、ナデラ率いるマイクロソフトで女性の待遇がいかに悪いかについて、女子社員たちが口々に訴える電子メールが社内を行きかった。

ある女性は技術職なのに単純作業しか与えられないと書いているし、別の女性は上級職の同僚の膝に座らされそうになるセクハラを受けたという。

また、何度も「ビッチ」と呼ばれたことがあり、女性を「ビッチ」呼ばわりすることは社内でめずらしくないと書いた人もいた。

ナデラが以前、女性は昇給を願い出るべきではなく「システムが適正な昇給を決めると信じるべきだ」と言ったことも事態を悪化させた。

彼はその後、この発言について謝罪している。

クオーツのデイブ・ガーシュゴーンによれば、ナデラにも女性の待遇の悪さを訴える電子メールは送られていたそうだが、対応したのは人事部の責任者だった[23]。マイクロソフトの広報担当は、ナデラがその後で全社に向けた電子メールを書いたと言っていたが、そのメールを見せてはくれなかった。

マイクロソフトでは、このようなハラスメントが横行していた。

マイクロソフトの元マネジャーは話す。

「あるエンジニア職の社員について、人種差別的発言や性差別的発言があったとか、いじめを受けていたと複数の人から報告された。そこで業績評価会議でそれを指摘すると、会社にとって非常に価値のある人物で、ほとんど誰も理解できない分野に詳しく、そういう人を失うのは非常に厳しい、と反論された。まったく最低な話だ」

ナデラの挑戦は完璧にはほど遠いけれども、マイクロソフトを全体として以前よりもよい会社にした。そして、アブダラ・エラミリのようなファンもいる。エラミリは同社で過ごした10年間にマイクロソフトが大きく変化したのを目撃したのだ。

「マイクロソフトは以前よりも自律性を重んじ、命令や支配をしないようになった。ウィンドウズ万歳ではなくなり、ビジネスと消費者にとって正しくあることが重要になった」

マイクロソフトの新たな10年

「バニティー・フェア」の「マイクロソフトの失われた10年」から7年後の2019年8月、その記事を書いたカート・アイヘンバルドに電話をかけた。

アイヘンバルドの記事以後の年月でマイクロソフトは変身した。だが、同社はまだ理想郷ではない。社員たちはいまも昔もマネジャーのダメさ加減やサイロ化、社員たちのうぬぼれや足の引っ張り合いについて不満をもっている。

それでも、2012年6月と比べたら現在はまったく異なる。私は、アイヘンバルドがマイクロソフトの変化に驚いたかどうか知りたかった。

話しはじめてすぐ、アイヘンバルドは自分の記事に対するさまざまな反応を話題にした。マイクロソフトの最高幹部たちは拒絶反応を示したが、中間層やその少し上の社員たちは彼の指摘に感謝したという。

「そこから、幹部層と実際の企業運営を担う人々との間に、深刻な断絶があることがわかった」と話して続けた。

「企業文化は企業をよくするために一番大事なものだ。こういう文化にしようという方針を経営陣が認めないだけでなく、邪魔をするようなことがあれば、首を切られるのは経営陣のほうさ。**よい文化がなければ生き残れないんだからね**」

マイクロソフトのトップはまさに変わった。マイクロソフトを新しい方向に向けたのは、同社で長年過ごしてきたナデラだ。

「試合に出ているときには、どんなふうに試合が進んでいるかはわかりにくいものだ」とアイヘンバルドは言う。「みんな、ろくに考えもせずに決められた方針に従って働いている。どうなっているのかを認識するのは後になってからだ」

自分が引き継ぐ会社がどうなっているかを認識していたからこそ、ナデラはマイクロソフトの「資産」に余力があるうちに、同社をウィンドウズ中心思考から解き放ち、再び変革ある会社にした。

それを実現するために、**ナデラはマイクロソフトをエンジニア思考によって運営し、アマゾンと同じ精神で変革を民主化し、フェイスブック流に社員やアイデアをヒエラルキーから解放し、グーグル的なやり方でコラボレーションをうながすという難しい課題に取り組んだ。**

そして、社内向け技術を活用した実務ワークの削減によって、マイクロソフトが競争に敗れる前に方向転換できるようにした。

ナデラがマイクロソフトの文化を変えたことは実際のビジネスに結実した。「バニティー・フェア」の記事の時点では、マイクロソフトの時価総額は2490億ドルだったが、現在は1兆ドルを超えている[24]。オフィスとアジュールはかつてないほどの売れ行きで、ウィンドウズは安定している。アイヘンバルドは言った。

「失敗から学べば、多くの会社は復活できるものだ」

［＊1］マイクロソフト・ガレージのなかに、以前はアマゾンのリーダーシップ原則へのもっとあからさまなオマージュがあった。2019年9月には、このページにはリーダーシップ原則と同じ言葉を使って「ガレージは行動志向です」と書かれていたのだ。マイクロソフトに対して事実確認の連絡をした直後、この文章はウェブサイトから削除された。

マイクロソフトの広報は、これは偶然の一致にすぎないとコメントしている。

終章

未来のリーダー像

Leaders

テクノロジー専門のジャーナリストになる何年も前に、私はニューヨーク州北部のガラス瓶工場で忘れられない教訓を得た。読者にも、印象に残る話だと思う。

その工場を訪れたのは、コーネル大学産業・労働関係学部（ＩＬＲスクール）に入学してすぐのことだった。学校行事の一環で、ほかの数十人の新入生たちとともに黄色いスクールバスに乗って向かったのだ。

その工場は目をみはるような技術の結晶だった。

そこには液状ガラスが溶けた矢のように頭上の管を走り、型に流れ込み、空気を吹き込まれて、あっという間にビール瓶になる光景があった。その速度、その正確さ、システムのリズミカルさは眠気を誘うほどだった。

今後の社会が向かう方向

しかし、ちょっと困惑する経験でもあった。私は世界でも第一級の経営学部に入学したつもりだったが、この見学ツアーで見せられているものは過去の遺物に感じられたからだ。

見学の最後に「63日間無事故」という掲示板の下に座って、工場長がトイレ休憩について説明するのを聞きながら、自分の選択に疑問を感じはじめていたくらいだ。

とはいえ、大学当局が新入生をその工場に行かせたのには理由があった。私たちに、現在の経営についてのあらゆる知識は、製造業に根差していると理解してほしかったのだ。リーダーシップや経営、仕事の実態について学ぶのであれば、そこから始める必要があった。

いまになって思えば、工場見学は悪い考えではなかったといえる。

私たちは、自分の労働環境が長い歴史から見ていかに最近のものかを忘れがちだ。

１００年足らず前は、製造業が経済をけん引していた。製造業は最大の雇用主であり、もっとも重要な富の創造者だった。

当時、経営はアートではなかった。それは脅威と恐怖を通して遂行される任務だった。始業時間に遅刻したらクビになった。目標を達成できなければ解雇された。経営者になれなれしく話しかけても、クビになった。

労働者はアイデアを提供するためではなく、労働を提供するために雇用されていた。だから会社が従業員を一気に入れ替えたとしても、大した違いなど生まれなかった。

そして、反作用が起きた。20世紀半ば、社会が製造業主導型経済から情報産業主導型経済に移り変わったのだ。

この新たな知識経済では、労働者は物理的にできることだけでなく、知っていることにもとづいて雇用される。

知識経済への移行によって、経営者は古い製造業的なやり方を改めはじめた。従業員を怖がらせるのは、知力を活用するうえでよい方法ではないことが判明したのだ。むしろ、思いやりと尊敬をもって従業員を扱うほうが、より巧妙なマーケティング計画や創造的な経理ソリューション、上手な顧客サービス対応につながった。

MITで教授を務めたダグラス・マグレガーは、1960年の著書『新版企業の人間的側面――統合と自己統制による経営』(産業能率大学出版部)でこの変化を指摘し、さまざまな経営方法をX理論とY理論の2つに分類した。[1]

古い製造業的スタイルのX理論は、人間は怠惰で働かずにすむためならなんでもするので、常に監視して無慈悲な罰を与えるのが最良の経営手法だという信念にもとづいている。マグレガーによれば、Y理論は1960年代に登場した。Y理論は、人間は自発的で大事にされればよい成績をおさめるものだという信念にもとづいたものだ。

現在でも多くの成功している企業がY理論を採用している。Y理論は、職場にヨガのスペースをつくったり、無料のスナックを用意する時代のけん引力である。

しかし現在、経済は再び変わりつつある。

コンピューターがY理論の導こうとしていたマーケティング計画や創造的な経理ソリューション、顧客サービス対応を処理できるようになってきたのだ。それに、コンピューターは役得といったものを求めない。

そう、次に来るものについて考えるべきときなのだ。

私はZ理論を提唱するつもりはない。最後にそれを試みたウィリアム・オオウチ博士は、Z理論で1980年代の日本の経済的成功を説明しようとしたが、[2] 現在ではオオウチ博士の理論についてはほとんど語られない。

私は何カ月もリーダーシップと経営について人々と語り合ってきた。つまり現代のリーダーシップと経営がどこにあり、どこに向かっているのかについて考えてきたわけだ。

本書のまとめとして、未来のリーダーに必要なものについて検討しておきたい。

未来のリーダー像について、どのように社員たちのひらめきをうながし、どのように会社を運営すべきかだけでなく、より広い社会でどのようにふるまうべきかも考えるうちに、ずっと昔に例の工場見学を企画した母校の人々と話し合いたくなった。

現代の私たちが根差すところを知れば、今後の社会が向かう方向についてのアイデアを得られるに違いない。そこで私はニューヨークに飛び、バスに乗って北を目指した。

エンジニア思考の導入

ＩＬＲスクールは１９４５年に創設された。[3] 労働組合の結成や団体交渉を保護するニューディール政策の直後のことだった。

この法案が議会を通過した結果、労働者と経営者はまったく新しい権利を手にし、どちらの側も相手と交渉する力になってくれる人物を必要とした。ニューヨーク州からの財政支援を得て、コーネル大学はその需要に応えるべくＩＬＲスクールを設立した。

ＩＬＲスクールは非常に急いでつくられたため、長くてせまくるしい掘っ立て小屋に何年間も押し込められていた。[4] やっと移ることのできたアイブス・ホールはキャンパスの中央にあって、四角い広場を囲むツタのからまる建物だ。

私がアイブス・ホールで過ごしたのは何年も前のことなので少々不安ではあったが、訪れていくらもしないうちに、大学の人々も仕事環境について、私が学んだころよりもずっと深く考えるようになっていることに気づいた。

1971年からＩＬＲ教授を務めるリー・ダイアーとはすぐに打ち解けた。

白髪交じりのこの研究者は私に椅子を勧めて、何十年間も教えられてきた古い教えには刷新が必要だと明言した。

「教授としても、教師としても、Ｘ理論やＹ理論に戻らなければならないことは恥ずかしい話です。何か新しいものを導入してもいいころです」

エンジニア思考を構成する要素について話し合ってから、ダイアーはどうすればこの概念をもっと広く適用できるかについてゆっくりと考え出した。

そして、**未来のリーダーがエンジニア思考を取り込むためには、積極的に変革をうながす役割を引き受けるのも一案**だと彼は言った。

また仕事の内容をガチガチに規定しないことで、従業員に変革する余地を与える方法もある。言われたことしかできない人よりも、もっと創造的な人間を雇うように努めるのもいい。新しいアイデアを考え出した従業員に、インセンティブを与えるやり方もできる。

ダイアーは言った。「産業革命以来、どれだけ多くのすばらしいアイデアについて、平社員たちが『それは君の仕事ではない。それは私に任せなさい。自分の仕事をしたまえ』と言われてきたことか。そんなふうではいくらも経たないうちに、もうアイデアを出そうとしなくなる」

ダイアーはシリコンバレーやシアトルのテックジャイアントと同意見で、生まれてきたアイデアを生かすための正しい道筋をつくりだすことが非常に重要だという。

「社員たちが考えるようになる余裕をつくり、考えることを推奨するだけでなく、それを支えるメカニズムやプロセスも必要だ。そうすれば新しいアイデアを思いついたときに、そのアイデアを発表して公平に判断してもらうためのプロセスが用意されているわけだからね」

シリコンバレーの企業はどこも、多くは**ジェフ・ベゾスの6ページ文書に感銘を受けて、このような新しいプロセスを取り入れている。**

モバイル決済企業のスクエアでは「沈黙の会議」が標準だ。沈黙の会議では、まず社員たちが机を囲んで30分沈黙のままで過ごす。ただしマーカーと鉛筆で6ページ文書に書き込むのではなく、コンピューターに向かって事前に準備されたグーグルドキュメントを編集し、コメントツールで質問やアイデアを追加する。

スクエアの製品担当重役アリッサ・ヘンリーによれば、このプロセスはアマゾン式の変革とグーグル式のコラボレーションを組み合わせたもので、あらゆるアイデアに目を通すことを目的としている。

ヘンリーは2018年のインタビューで「多くの研究で、従来の会議文化ではマイノリティーや女性、リモート勤務の従業員、内向的な人は、会議で言い負かされたり、意見を聞いてもらいにくいと判明しています」と話した[5]。「誰かに言い負かされる心配をせずに、アイデアを聞いてもらえる（場合によっては読んでもらえる）文化をつくりたいのです。一番声の大きな人や社内政治がうまい人、本社のあるサンフランシスコにいる人の意見ではなく、一番適切な意見が通る文化を求めています。幅広いアイデア、そして討論がほしいと考えています」

ツイッターとスクエア両社でCEOを務めるジャック・ドーシーに、沈黙の会議はツイッターでも行われているのかと聞いてみると、「私の関係するほとんどの会議で採用していいます」という答えだった。これら**沈黙の会議は、シリコンバレーのあちこちで行われるようになりつつあり、さらに広がりそうである。**

アイデアが公平に聞き届けられるシステムを準備したら、次はアイデアを思いついたときにボーナスが出るような給与体系があれば、社員たちが自分のアイデアを公開しようというモチベーションを持てるとダイアーは言う。

このようなモチベーションを与えるための簡単な方法は、検討に値するアイデアを会議に適した文書やグーグルドキュメントのかたちで出した人に、ちょっとしたボーナスを与えることだろう。

さらに、もしそのアイデアが会議を通ってプロジェクトが成立したら、もっと高額のボーナスを与える。あるアイデアから最終的にビジネスとして成功するものが生まれたら、それを思いついた社員に利益の一部を与えるという方法もある。

あるいはそのアイデアがコストを削減するものであれば、それで浮いた金額の一部を与えればいい。

このような民主的な創意工夫を刺激するシステムが広く受け入れられて、スラックやグーグルドライブなどのコラボレーションツールがより広く展開され、階層主義の制約を打ち破るようなフィードバックの文化の波が高まれば、**エンジニア思考はテックジャイアントだけのものではなく、ありふれた習慣になっていく**だろう。

アイデアに命を与えるための適切なシステムやインセンティブ、そして実務ワークを削減するための適切なテクノロジーがあれば、中小企業も競合する大企業と同じリングで戦えるようになるはずだ。

未来のリーダーの一番大事な資質が調整役であるという話が気に入ったのか、ダイアーはほほえみながらしばらく考えて、こう言った。

「社内にもっと多くの意見があるほうが、企業にとっても、従業員にとっても、社会にとっても健全だ。そうなってほしいね」

これから重要になるスキル

変革を優先する経済の時代への移行にあたっては、教育システムを考え直すことも必要になる。未来のリーダーにとって、教育システムの再構築は重要な課題になるだろう。

現在の教育では、いまだに実務ワークだらけの経済環境のなかで働くことを目標に、学生たちに記憶や反復、リスク緩和の訓練を行っている。しかし**未来の職場で若者にチャンスを与えるためには、変革について教える必要がある**だろう。

ＩＬＲ職場研究所所長のルイス・ハイマンは現在の教育システムについて「ひどいものだ」と言った。

「私たちの社会は全体として同調と反復を中核としてできあがっているが、今後の経済は自立した思考や創造性、新規性を中核としていくことになる」

教育システムが自分の学生に植えつける価値観について話しながら、ハイマンは見るからに憤慨していた。

「学生たちはＡ（優）をとりたがる。いい成績がほしい。家がほしい。仕事がほしい。一方で学生たちは、自力で考えることがものすごく苦手だ。

それはバカだからではない。むしろとても頭がいいんだ。生まれてからずっと正解を出すように訓練されつづけてきたからに違いない。

学生たちは、質問すべきときに必死に答えようとする。高等教育は疑問を持つ姿勢を教えるべきだとされているが、実際にはそうなっていない。そこで教えられているのは同調する姿勢だ」


コーネル大学への訪問のすぐ後に、きつい物言いで人気があるペンシルベニア大学教授のアダム・グラントが、「ニューヨーク・タイムズ」の論説でこの問題を取り上げていた。[6]ハイマンと同様にグラントも、優をとろうと必死になる学生は、大学に所属している意味をとりちがえていると論じている。

「全部Ａ（優）をとるために必要なのは同調性だが、成功者となるべくキャリアを築くために必要なのは独自性だ」

同調性の力を弱めるためにグラントが提案するのは、学校がいわゆる「5段階評価」で成績をつけるのをやめることだ。そうなれば完璧を求めるプレッシャーが減る。

グラントによれば、**雇用者は成績よりもスキルを重視することを明示すべき**だという。グラントは学生にも呼びかけている。

「学校で期待よりも悪い成績をとると、人生では期待以上の成績をおさめようという心構えができる。だから君のやる気を、卒業までに少なくとも1個はB（可）をとるという新しい目標に向けてもいいのではないだろうか」

同調性を教えることは、自動化そのものよりも雇用の維持へのリスクが大きいかもしれない。

世界経済フォーラムの「ニューエコノミーとソサエティ」でセンター長を務めるサーディア・ザヒディは、新しい職場に向けたテクノロジーの与える影響について「一般に雇用が増えると期待されている」と話した。

しかし2018年に彼女が行った調査では、何らかの仕事で現在求められている主なスキルのうち42パーセントが4年以内に不要になるという。

では、**今後重要になっていくスキルとは何か？**

それは「創造性」「独自性」「自発性」だ。

こうしたなかでテック企業のリーダーたちは、慈善活動を通じて教育システムを修正しようとしている。

たとえばマーク・ザッカーバーグは、ニューアークの学校機構に1億ドルを寄付した[7]。しかし彼らの努力にもかかわらず、現行の教育システムはいまだ変わっていない。

いまこの瞬間にも、大改革が必要だ。

そして教育システムの変革は、テック業界からの資金はもちろん歓迎だろうが、むしろ税金を財源とする公共事業として行うのが最善だろう。

「リーダーシップの観点から見て、現代人は新しい経済に向けて社会をどう動かしていくかを考える、まさに重要な岐路に立っている」とハイマンは言った。

「それは技術的な選択ではなく、政治的な選択だ」

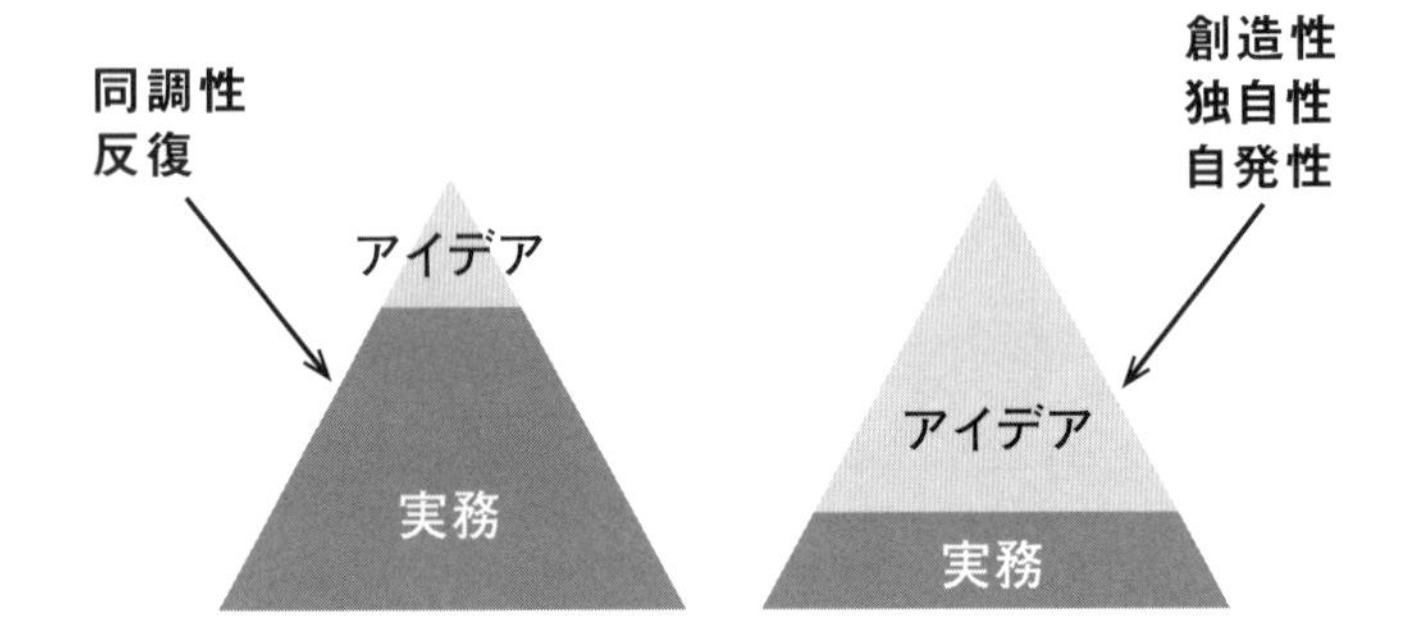

技術の進化においていかれる人々

ＩＬＲの准教授アダム・セス・リトウィンに会ったことで、政治的な選択の際の注意点がもう1つ視野に入ってきた。彼は、技術の進化に取り残される人々について指摘し、そういう人々をどのようにケアしていくべきかを語ってくれた。

リトウィンによれば、**人間に取って代わるテクノロジーは、その技術を開発した人に利益を集中させやすく、収入の不均衡につながっていく**という。

たとえば、所得税の申告内容が単純なものなら確定申告書作成ソフトのターボタックスですませられるようになり、税理士に頼まない人が多くなったので、彼らの稼ぎのいい仕事がごっそり消えた。

「お金が国中に星の数ほどいる税理士に流れないで、ターボタックスをつくったインテュイットに流れるようになった。そして結局は、利益が非常に少数の手に集中している」

現代の経済で自動化が進めば、仕事の総量は増えたとしても、誰かが取り残されることは避けられない。現在、そして未来のリーダーは、このような人々にも気を配る必要があるだろう。さらに、リーダーの責務はそれだけではない。

グーグルやアマゾン、フェイスブック、アップル、マイクロソフトのある西海岸地域では、収入の不均衡はすでに危機的な状態に達している。

2017年のAPの記事は「かつてない規模のホームレス危機が西海岸を動揺させている」と報じた。[8]「そして、その犠牲になっているのは、住宅費の急上昇、底を打つ空室率、急激な経済の活況という地域の成功を示す、まさにその事実によって置き去りにされた人々だ」

シアトルで空きビルをホームレス家族用の一時的住居に改造する活動を行う、非営利団体メアリーズ・プレイスの事務局長を務めるマーティー・ハートマンを訪ねた。

シアトルの困窮家庭は、この10年間に二度も大打撃を受けたとハートマンは語った。最初の一撃は米国中の都市を襲ったものだった。多くの人々が職を失った2009年の壊滅的な不景気だ。そして失業者たちが職を見つけよう、負債から逃れようとあがいている最中に、西海岸では経済が活況を呈して住居費が高騰した。

この打撃のコンボによって多くの人々がホームレスになり、そこから脱出できないままになった。

「不況の直後に大好況になるなんて、誰もろくに予想していませんでした」とハートマンは語った。「もっと手の届く価格の住居を建てようという計画も、すでに存在する手ごろな価格の住居を維持しようという計画もありませんでした。家を失っても代わりの住居は提供されず、人々は国の外側に押しやられることになりました。いまも賃借料は上がりつづけ、大勢の人々が家を失っているのです」

アマゾンはメアリーズ・プレイスともう1つのホームレス支援機関のフェアスタートに、2016年以来13億ドルを寄付している。[9] しかし現在、社会の勝者からの慈善活動があれば十分なのかどうかを問題視する社会運動が起こりつつある。

この運動の参加者によると、もっと税制が公平になれば、政府がもっと有意義な行動をとれるようになるはずだという。これも未来のリーダーが強く求めるべき、少なくとも受け入れるべき姿勢だといえる。

この運動を先導するアナンド・ギリダラダスは、著書『勝利者がすべてを得る』（未邦訳）で「私たちにとって非常に不公平な現状における勝利者たちは、いたるところで変化の擁護者だと自称する。彼らは問題を認識し、解決の一部を担おうとする」と書いている。[10]「社会の変化におけるこれらの問題解決を試みるのが彼ら自身であれば、その試みは当然彼らの偏見を反映することになる」

アマゾンは地元のコミュニティの向上のために、いくつかの取り組みをしてきた。

しかし、同社が税金をまったく納めていないことからして、アマゾンはギリダラダスの言う「勝利者」の筆頭といえる。

アマゾンは2018年に112億ドルの利益を上げたにもかかわらず、連邦所得税を一銭も払わなかった。同社は時価総額何千億ドルにもなりながら、いまだに誘致に熱心な地方自治体に優遇税制措置を要求している。

そのもっとも目立つ例は、同社の「HQ2(第2本社)」計画だ。この「ヘッドクォーター」(つまり本部オフィス)の建設計画は、ニューヨーク州で高額な税額控除を問題とする反対運動が起こって取りやめになった。

アマゾンは現在もバージニア州でHQ2建設を進行中であり、それに対して同地の納税者から1億ドル以上のインセンティブを受ける予定である。[11]

おまけにシアトルが同市のホームレス支援のため、大企業に従業員1人につき275ドルを求める「人頭税」を制定した際、アマゾンはそれに抵抗し、市当局は結局その税を撤回している。[12]

「どの社会問題が一番大きいかについて、時価総額何十億ドルもの企業が一方的に決めることはおかしいと思う」とリトウィンは言った。「このようなことは、もっと議論を要する民主的なプロセスを経て決められるべきだ。だからそういう意味で、**大企業が自分でお金の使い道を決めることよりも、税金をもっと高くすることを支持するほうが好ましい**」

2019年にメンロ−パークを訪れたとき、私はザッカーバーグに私的な寄付と税金のバランスはどうなっているかと尋ねた。

ザッカーバーグは、妻のプリシラ・チャンとともに始めたLLCチャン・ザッカーバーグ・インスティテュートを通して「慈善活動、公共の権利擁護、その他の公共の利益のための活動」に何百億ドルも支出する予定があると言い、私的な寄付についての自説を披露した。[13]

「私的な慈善行為には、その組織や団体が政府とは違う行動をとれることに価値があると考えている。私たちは教育のために注力している。私たちのやっている実験や思考のどれかを通して何か得るところがあったら、あらゆる公立学校でそれを簡単に取り入れられるようにしていくつもりだ」

ザッカーバーグは続けた。

「私たちがしていることは、教育全般に影響を与えはしない。米国政府は教育に1年当たり6000億ドルを支出しているはずだからね。しかし、おそらく政府がやろうともしないことで、私たちが試みたり、変えたりしたいものはある。さまざまな人々が新しいシステムを試したり、現行のシステムを改善できたりしたらいいじゃないか」

明らかに私的な寄付のほうを好む姿勢を見せつつも、ザッカーバーグはそのような寄付を必要とする状況をつくりだす経済システムが公正とはいえないことを認めた。

「(私的な寄付よりも) 高い税金を払えという主張は、おそらく金持ちがこういうことを慈善活動としてやろうとするのが公正だろうか、という疑問から来ているんだと思う。その答えは明らかにノーだ。公正じゃない」

メアリーズ・プレイスの最大の支援者であるアマゾンについて、寄付をしているだけで十分だろうかとハートマンに尋ねてみた。

「20年間この問題に取り組んできた私自身をはじめとして、誰もがもっと多くのことができるはずです」と彼女は答えた。「誰もが、もっと多くのことができるのです」

AIの偏見と監視の必要性

より高機能なテクノロジーが雇用や給与といった人事関係を中心にして職場に導入されると、導入されたテクノロジーの挙動をしっかり監視する必要も出てくる。

コーネル大学への訪問の1週間前、アマゾンで秘密裏に使われていたAIツールに問題があったとロイターが報道した。[14] 採用手続きに利用されるそのツールは、応募者の履歴書を審査して、どの程度同社に適しているかを5点満点で評価するという。

ロイターの記事によれば、このシステムは採用で「誰もが求める究極の方法」だった。ある一点を除けば……。このシステムは女性を差別したのだ。

「アマゾンのシステムは、男性の応募者のほうが好ましいと学習してしまった。たとえば『女性チェスクラブの部長』といった『女性』という言葉を含む履歴書は低く評価した。また、ある2つの女子大の卒業生についても評価を落とした」と記事は語っている。

アマゾンはロイターに対し、差別が組み込まれたツールについて「アマゾンの採用担当者が応募者を評価するために使ったことはない」と話した。しかし同社は、採用担当者がそのツールを閲覧したというロイターの主張については争わなかった。

アマゾンがそれ以上詳しい調査を行わなかったため、そのシステムがなぜ差別するようになったのかについて正確に知ることはできない。

しかし、アマゾンのラルフ・ヘルブリッヒが言うように、AIは入力から学習する。

ロイターが引用した数字によれば、アマゾンの世界中に散らばる全社員の男女比は男性が

6割で女性が4割だ。そのため、アマゾンのＡＩが同社に最適な応募者を探す場合、参照するデータから男性応募者のほうが適していると判断する可能性は高く、実際そのように判断したのだろう。

アマゾンはそのシステムを修復しようとしたが、問題点は突き止めたものの解決はできなかったという。

一方、ロイターによれば「アマゾンはこうした特定の項目について公平性を保つようにプログラムを修正したが、このシステムが別の差別的な応募者の選別方法を編み出さないという保証はなかった」という。アマゾンはこのプログラムを反古にせざるをえなかったのだ。

人間と同じように、ＡＩが好ましくない行動をとることもありうる。未来のリーダーがこのような問題にどう取り組めばよいかを探るため、私はＩＬＲの教授でアルゴリズムの公平性に関する専門家のイフェオマ・アジュンワに会った。

アジュンワは私を研究室に迎え入れた後、ホットチョコレートをふるまって散歩に誘った。インタビューを始めると、アジュンワはアマゾンについて驚くほど好意的な意見を述べた。

「アマゾンはむしろ例外的存在です。はっきり言って、ＡＩを監視しようと考える企業はほとんどありません」

未来のリーダーは、自分たちが利用するテクノロジーについて偏見がないかを監視しつづけなければならないと、アジュンワは言う。

そしてスターバックス、ウォルマート、ターゲットをはじめとする世界中の企業で、雇用や給与、採用の手続きで人に代わって自動化されたシステムが使われるようになっている現在、そのプレッシャーはさらに強まっている。

「これらのツールは、差別や偏見という問題自体を別のものに変えはしません。しかし、そのような問題を悪化させたり緩和させたりする手段にはなります。これらのツールは道具にすぎないのですから、有能なリーダーや責任感のある経営者がその使い方に責任を持つ必要があるのです」

アジュンワによれば、これらのシステムが偏見をもっていないかの検証も大事だが、情報公開も同じく重要だという。

「ほとんどの企業は必要な監査をしたがりません。監査をする場合でも内部監査にとどめて、内容を公開しませんし、隠そうとすることもあります」

AIの偏見を見つけても社外秘にしてしまったら、ほかのところで使われているツールにも同じような問題点があるかどうかを検証することができず、より広い労働人口にとっての損失となる。

つまりアマゾンは、自社のＡＩシステムの問題を公開しなかったという間違いをおかしたのだ。同社の経営陣は、ロイターが問い合わせるまでその件について触れず、その後もあいまいな回答に終始した。

近づきつつある自動化の波

ＩＬＲの学生だったころ、２００９年の大不況直前に解雇についてのゼミに参加した。その授業は、経済の崩壊に際して何百万人もの人々が経験するであろう、解雇のプロセスを掘り下げて検討するという非常に興味深いものだった。

その授業では「解雇に際してやるべきこと（たとえば、法的責任を避けるために誰か別の人を同室させて手短に通告する）」と、「やってはいけないこと（たとえば、電子メールを使わない）」に焦点を当てていた。授業は陰鬱で、時に悲しいものであると同時にリアルだった。大勢が無視したがるような職場の厳しい面を紹介してくれていた。

そしてその授業は、現実の生活の準備として役に立った。私自身が２０１３年１月に解雇されたのだ。その日のことは死ぬまでありありと覚えているだろう。

当時の部長が交代して数週間後、ある火曜日の午後遅くに新しい部長と面談することになった。約束の時間の少し前に部長が予約した会議室の前を通りかかると、人事部員が書類をめくっているのが見えた。何が起こるのかは明白だった。

まだ少し時間があったので、私は自席に戻って荷物を片づけはじめた。ちょうど片づけが終わったときに部長がやってきて、一緒に会議室に向かった。部長と人事部の担当者による解雇プロセスは満点だった。私も含め、全員が正しい手順を心得ていたので、30分も経たないうちに私は職場を後にしていた。

建物を出て、1月のニューヨークの街を何マイルも歩いた。その一歩一歩が、解雇のつらさをやわらげてくれた。時間とともに身を切るような痛みは消え、解雇ということ自体よりも、解雇をめぐる状況のほうに興味を惹かれるようになった。

私を解雇したオペラティブ・メディアは、報道機関向けのオンラインビジネス管理ソフトウェアを開発する会社だった。同社のテクノロジーは、報道機関の広告担当者が広告キャンペーンを企画したり、注文書を起こしたり、広告を出したり、請求書をつくったりする作業を支援するものだった。

オペラティブ・メディアの顧客リストには、ウォール・ストリート・ジャーナル、NBC

ユニバーサル、ナショナル・パブリック・メディアなど、そうそうたる報道機関が並んでいた。

しかし、状況は変わった。

デジタル広告業界が変化しはじめたのは、私がオペラティブ・メディアで働いていたころだ。電話を通じた広告売買は面倒な仕事で、注文を確定し、契約書を電子メールで送り、広告を出し、配信を管理するという細かい作業が必要だった。その流れをすっきりさせるために、オペラティブ・メディアのソフトウェアが活躍していたわけだ。だが、それでも広告取引には間違いや混乱がつきものだったため、広告業界は自動化の方向に向かった。

広告主はウェブのあちこちで新しいソフトウェアシステムを通したプログラマティック広告の売買を始めた。このツールを使えば、広告の掲載や支払い、ウェブ上でのターゲティング広告展開などを、人手を介さずにできた。

この自動化の波が押しよせたとき、オペラティブ・メディアは決断を迫られた。顧客の報道機関が自動化された取引で広告枠を販売するのをサポートするか、それとも同社の中核である人間主体のビジネスにこだわりつづけたまま、自動化の流れを乗り切るべきか。

最終的に、同社はどちらの道もとらなかった。ずいぶん経ってからオペラティブ・メディアは、報道機関がプログラマティック広告を販売するためのマーケットツールをつくった。

しかし公開が遅すぎたし、競合他社の同種のツールより性能も劣っていた。そしてすぐに同社のCEOマイケル・レオが更迭された。それから間もなく、私も解雇されたのだった。

何がいけなかったのかを知りたくてレオに電話したとき、私はさほど驚くような話を予想していなかった。本書の論旨を十分理解していれば、彼が成功の公式からはずれたのがどこだったかは明らかだ。

レオは「会社は古いやり方にこだわらず変革すべきだった。もっと早く自動化すべきだった。アイデアを生かすためのもっといい方法が必要だった」などと言うに違いない。

レオが電話口で「私は取締役会の意見を聞かなかった」(取締役会はレオに自動化を求めていた)と言ったときは、予想どおりだと思った。

しかし、そこから会話は考えもしなかった方向に進んだ。

「誠実さが顧客だけに向いていればいいものなら、もっと早く自動化しただろうが……」と彼は言ったのだ。「しかし私が正しいと思う方針を守るのが誠実ということだとしたら、わが社はおそらく正しい道をとったわけだ」

レオいわく、自動化された広告売買を進めると、偉大な報道機関の仕事の価値を下げることになりかねない。自動化システムを通して売買する広告主は、広告の受け手が何を読むのかよりも、広告が届く対象は誰なのかばかりを気にする。

だから高品質な報道機関の広告枠をこのようなシステムで販売すると、一流の報道機関の広告枠をほとんど（またはまったく）何も語っていないようなくだらないサイトと同列におくことになってしまう。それは、最善の行動とはいえない。

私たちがかつてないほどの変革の力を持つ時代になりつつある現在、「人は自分がつくるものについて注意深くなければならない」とレオは語った。この考え方は、結果がどうなろうとかまわず変革しようとする人間の本能には反している。

「何かが技術的にすばらしいと思ったら、人はそれを推しすすめ、取り組むものだ」とJ・ロバート・オッペンハイマーはかつて言った。[15]

「どうすればよかったのかと言い争うのは、技術的に成功をおさめた後にすぎない」

オッペンハイマーは、自分が開発にかかわった原子爆弾について話していたのだが、オッペンハイマーほど極端な例ではないにせよ、報道機関が気づかざるをえなかったように変革のときに注意深くなければ、創造の成果が裏目に出ることもある。

オペラティブ・メディアが最善を尽くしたにもかかわらず、人間からの広告買い付けはいまだに面倒な仕事だ。この方法にうんざりした広告主は、自動化のほうに予算を割くようになり、報道機関もそれに従った。現在、ほぼすべての報道機関では自動化による広告取引が主体となり、報道業界は先が危ぶまれている。

レオは当時を振り返りながら、その教訓を次世代が理解してくれるといいのだがと言った。「自分の意見を曲げなくてよかったと思うときがある。自分の子供にそう話せるときだ」

目の前に迫っている変化への対応

イサカはくもりがちな土地だが、コーネル大学への訪問が終わりに近づいたころ、めずらしく太陽が地平線に沈もうとする姿を見せた。光の射すバス停に立ち、キャンパスに向かう学生を見ながら、彼らは自分がほどなく参入する職場で待ちかまえる変化が、どれほど大きいものかわかっているのだろうかと思った。

変化はもう間近に迫っている。 それは確実だ。機械学習、クラウド・コンピューティング、コラボレーションツールは生まれたばかりで、時間とともにさらに幅を利かせるようになるだろう。

だが、このようなツールは有害にもなりうる。

ただしそのリスクをきちんと軽減すれば、人間の歴史は目をみはるような新たな段階に入ることになるだろう。間違えなければ、そこには限りない可能性が広がっている。

私は、うまくいくだろうと楽観視している。

ほとんどの人間にとってつらく退屈なものであった仕事は、いまや多くの人にとってもっと変革にあふれ充実したものになる可能性をもっている。

ひとにぎりの実力者のサポートに奮闘する日々を過ごすのではなく、自分のアイデアを実現させるために、おたがいに肩を並べて働くようになる日が近いかもしれない。

そして、より多くの会社が変革によって成功することを目指すようになれば、このような構図はすぐにでも現実のものになるだろう。

私たちの経済も、もっと活気に満ちたものになる可能性がある。

テックジャイアントは永遠にトップでありつづけようと計画しているかもしれないが、**エンジニア思考とそれに関連する社内向けのテクノロジーが広がれば、競合他社も有意義な挑戦を始められるようになる**だろう。

もっと小さな会社で変革が花開けば、成長がもっと平等に行きわたり、富がより広く分散され、人がより幸せに生きる力になるだろう。

政府や非営利組織でも、誰もが待ち望む変化が起こるかもしれない。

私たちの世界は多くの問題を抱えている。気候、教育、健康、貧困の問題はいずれも危機的な状況で、できる限り多くの創造的な解決が求められている。

公共部門が大量の実務ワークを削減して、その分を社会問題の解決を考え出す仕事に取り組めば、これからの不穏な時代を生き延びられる見込みもある。

公共機関の職場文化も変わらざるをえないだろう。そこでも一般職員の声を聞くようにならなければならない。絶対変われるとはいえないまでも、変われる可能性はある。

一般調達局からＮＡＳＡにいたるまで、米国の25の連邦機関がすでにユーアイパスとともに実務ワークの自動化に取り組んでいることは、今後来るべきものの前兆かもしれない[16]。

すべてがうまくいったときの未来の世界の姿は、目指すだけの価値がある。

そこにいたるためには政治的な意志と良質な企業の担い手が必要であり、すべての人にとって心地よい道のりとはならないだろう。しかし実現できれば、私たちはより健康的で、より幸せで、より安定した社会で生きられる。

本書でお伝えしたことが、そこへたどり着くためのささやかな一助にならんことを。ここから先は私たち次第だ。

謝辞

友人、家族、同僚たちの支えとアドバイス、指導がなければ、本書が生まれることはなかっただろう。よいときをさらに楽しく、つらいときを少しはましにして、困難なときを導いてくれた。みんな、ありがとう。

才能豊かな担当編集者のメリー・サンは、執筆過程をしっかりサポートして、本書が的外れなものにならないようにしてくれた。よいところをほめ、悪いところは優しく指摘し、本を書くとはどんなことかを教えてくれた。

超一流の著者エージェントのジム・レビンは、用件しか書いていない電子メールに返事をくれて、はじめて電話で話したときから本書のアイデアを気に入り、とりとめのない私の構想を現在のかたちにする力となってくれた。ナタリー・ロバーメッドはファクトチェックを担当し、原稿を事細かに確認して、水の漏れる隙もないようにしてくれた。

本書の発行者ポートフォリオのエイドリアン・ザックハイムは、はじめて会ったときから本書のアイデアを徹底的に検討し、どこへ向かうかすら誰にもわからない冒険に加わってくれた。ポートフォリオのすばらしい販売、アート、宣伝の各チームは、本書を読者に届ける仕事を熱心に完璧に遂行してくれた。書名をひねり出す力になってくれたウィル・ヴァイサー、宣伝部のマーゴット・スタマス、マーケティング部のニコル・マッカードル、びっくりするような表紙デザインを担当したクリス・セルジオとジェン・ホイヤーには特に感謝している。
「バズフィード」のすばらしき同僚たちは、執筆の道程に乗り越えられない障害はないことを教えてくれた。生涯最大の執筆プロジェクトにあたり、その信念が私の背中を押した。３回も応募して、やっと雇ってもらえた「バズフィード」。そこで働くことは夢だった。いまでも、ベン・スミスやマット・ホーナン、ジョン・パチュコフスキー、スコット・ルーカス、同僚のレポーターたちから学ぶことができる毎日の幸運を信じられないでいる。また、それぞれ「ジ・アトランティック」と「リコード」で技術分野を担当しているエレン・クッシングとサマンサ・オルトマンと働いたことも、なんともおもしろく、楽しい経験だった。

両親のトーバとゲイリー・カントロウィッツは、独立心を持つように私を育て、好奇心を教え、成長を熱心に見守ってくれた。支えになってくれたこと、そして答えを教えるよりも、自分で見つけるように仕向けてくれたことに感謝している。

ステファニー・カノーラは、人生を通して、いつでも頼れる重石のような存在だ。うまくいかないときにはサポートし、成功を喜び、あまたの（本当にたくさんの！）問題について助言をくれた。ステファニーがいなかったら、どうなっていたことか。

スーとスティーブ・トレガーマンは、ウェスト・シアトルの自宅に2回も長期滞在させてくれた。２人のもてなしがあったから、アマゾンとマイクロソフトについて、実に長い文章を書けた。正確に伝えるためにはそれだけの長さが必要だったのだ。家族の一員として扱ってくれて、一緒にリアリティー番組や野球の試合を見たり、彼らの家族のリンダやロイエ、ガリ、マテオたちと出かけたりして楽しんだ。これからもずっと私の家族だ。兄のバリーと弟のジョシュは、しょっちゅうチャットの相手になってくれた。2人とのチャットは、コンピューターにひとり向かいつづける長い時間の気晴らしになった。おかげで、毎日が楽しいよ。

現在の私をかたちづくったのは、カントロウィッツ家とステプナー家といえる。すべて、一族の未来のために懸命に働いた両家の祖父母、レオンとミリアム・カントロウィッツ、ジェロームとエレノア・ステプナーのおかげだ。亡くなってしまったが、愛と思いやりに満ちて生きる姿を見せてくれた、いとこのレイチェル・カントロウィッツのことはいまでも忘れられない。みんな、ありがとう。

カーメル・デアミーチスは、込み入った私の話を熱心に聞き、執筆が進むごとに原稿を読んでは、びっくりするようなアドバイスをくれた。ありがとうカーメル、君は最高だ。「ブルームバーグ」に勤めるバーナル・ハイツの有名人マーク・バーゲンは、以前からすばらしく頼れる友人で、本書の構成を考えるのを手伝ってくれた。サウサリートやファンストンへのツーリングやベイエリアでのハイキングにも何度も一緒に出かけて楽しんだ。ブラッド・アレンは、本書の執筆中の自信の源になってくれた。話すたびに新しい角度からの知見を与えてくれたし、バスケットボールもそこそこできるし。

ジェシカ・フライドリンはサンフランシスコ流のやり方を教えてくれた。彼女と夫のアレックスからは、サンフランシスコでの生活やビジネス、食べ物についていろいろ教わった。毎週夕食をともにするたびに、そのときぶつかっている執筆上の問題について熱心に話し合い、アドバイスやサポートをくれた。ジェイン・レイブロックは、常に私を支え、思いやり、元気づけてくれる存在だ。いつでも喜んで話を聞いてくれ、一度だって断ったりしなかった。彼女は聖人に違いない。ネイト・スキッドの姿勢に学んで、私はより大きく、よりよいものを勝ちとろうと努力してきた。彼とその妻のランと娘のエブリン、家族全員から影響を受けている。マット・スードルは、いまを生きることを教えてくれた。リチャード・ソロモンからは、広告という仕事を教わった。ハワード・スパイラーは、押しつけられただけだというのにずっと私を教え導いてくれている。

本書の原稿を読んでフィードバックする「原稿を読む会」には、大勢の友人が参加してくれた。ここに名前をあげられない方もいるが、笑いの絶えない会にしてくれたアリエル・カミュとジョー・ワドリントンには特にお礼を言いたい。

ノースショアのデイヴィッド、ゲイブ、ジェニー、レベッカのおかげで、執筆中にやる気を保つことができた。

コーネル大学のアリ、アヤラ、チャド、ダン、エミリー、エズロン、ガビ、ハンナ、ハービー、ジャック、ジャスミン、ジャクリン、ジョシュ、ジューダ、ローレン、ナオミ、ニューマン、ニコル、ペリー、レイチェル、リナ、ロニット、シャップ、ツィッピー……君たちはすばらしかった。支えと励ましに感謝する。

「ネバーストップ・ネバーストッピング」グループチャットのおかげで、ひたすらキーボードに向かいつづける長い時間を（なんとか）正気で過ごせた。情報へのリンクや健全な議論が絶えることなく、とても学ぶことが多かった。ＮＢＡについてろくに知らないのに、追いださないでくれてありがとう。

私がマーケティング担当から記者になれたのは、「アドエイジ」のサイモン・デュメンコ、マイケル・ラーマンス、モーリーン・モリソン、マット・クイン、ジュディー・ポラックのおかげだ。ソール・オースターリッツは、記者になったばかりの私にフリーランス・ジャーナリズムを教え、また本書を出そうと思い立ったときに本の書き方を教えてくれた。

ラリー・ライプシュタインは私が若いころ、進むべき道を示してくれた。ちょっとしたことが私の人生を大きく変えたのだ。スコット・オルスターは「フォーチュン」に私の最初の記事を掲載して、記者として活動する突破口を開いてくれた。それが次、また次へとつながった。ザック・オマリー・グリーンバーグとジョン・ブルーナーが「フォーブス」の寄稿者に加えてくれたから、すべてが始まった。#MetsBooth のゲイリー、キース、ロン、春から夏にかけての孤独な午後の道連れになってくれてありがとう。また秋にも会えるといいな。

バレンシアのアリスメンディ・ベーカリーの店員のみんなは、本書執筆中に何度訪れても、いつもコーヒーと笑顔で歓迎してくれた。どんなに執筆にのめりこんでいたって、30分の至福の時間は欠かすわけにいかなかった。

そして、私に本なんて書けやしないと言ったみなさんにも、感謝している。そのおかげでやる気に火がついたからね。

【著者紹介】

アレックス・カントロウィッツ（Alex Kantrowitz）

◉――「バズフィード・ニュース」のテクノロジー担当シニアレポーター。その記事は「ウォール・ストリート・ジャーナル」をはじめ、ニューヨーカーやスポーツ・イラストレイテッドなど主要な雑誌、オンラインメディアで数多く引用されている実績がある。また、Google、Amazon、Facebook、Apple、Microsoftに関するニュースレターとポッドキャスト「Big Technology」の創始者でもある。コーネル大学産業・労働関係学部卒業。サンフランシスコ在住。

【訳者紹介】

小川　彩子（おがわ・あやこ）

◉――翻訳家。学習院大学大学院人文科学研究科哲学専攻博士後期課程単位取得退学。主な訳書に『ICEMAN　病気にならない体のつくりかた』『ハーバード集中力革命』（いずれも、サンマーク出版）、『世界の名画　1000の偉業』（共訳、二玄社）、『電子メールプロトコル詳説』（ピアソンエデュケーション）などがある。そのほか技術文書の翻訳にも携わっている。

GAFAMのエンジニア思考（しこう）

2021年9月21日　　第1刷発行

著　者――アレックス・カントロウィッツ

訳　者――小川　彩子

発行者――齊藤　龍男

発行所――株式会社かんき出版

東京都千代田区麹町4-1-4 西脇ビル　〒102-0083

電話　営業部：03(3262)8011㈹　編集部：03(3262)8012㈹

FAX　03(3234)4421　　振替　00100-2-62304

https://kanki-pub.co.jp/

印刷所――図書印刷株式会社

 ISBN978-4-7612-7569-3 C0030

原注

はじめに

[1] Zuckerberg, Mark. "Building Global Community." Facebook, February 16, 2017. https://www.facebook.com/notes/mark-zuckerberg/building-global-community/10103508221158471.

Introduction

[1] Amazon News. "Jeff Bezos on Why It's Always Day 1 at Amazon." YouTube, April 19, 2017. https://www.youtube.com/watch?v=fTwXS2H_iJo.

[2] Lam, Bourree. "Where Do Firms Go WhenThey Die?" *Atlantic*. Atlantic Media Company, April 12, 2015. https://www.theatlantic.com/business/archive/2015/04/where-do-firms-go-when-they-die/390249/.

[3] Winkler, Rolfe. "Software 'Robots' Power Surging Values for Three Little-Known Startups." *Wall Street Journal*. Dow Jones & Company, September 17, 2018. https://www.wsj.com/articles/software-robots-power-surging-values-for-three-little-known-startups-1537225425.

[4] Lunden, Ingrid. "RPA Startup Automation Anywhere Nabs $300M from SoftBank at a $2.6B Valuation." TechCrunch. TechCrunch, November 15, 2018. https://techcrunch.com/2018/11/15/rpa-startup-automation-anywhere-nabs-300m-from-softbank-at-a-2-6b-valuation.

[5] Ramachandran, Shalini, and Joe Flint. "At Netflix, Radical Transparency and Blunt Firings Un-settle the Ranks." *Wall Street Journal*. Dow Jones & Company, October 25, 2018. https://www.wsj.com/articles/at-netflix-radical-transparency-and-blunt-firings-unsettle-the-ranks-1540497174mod=hp_lead_pos4.

[6] Duhigg, Charles. "Dr. Elon & Mr. Musk: Life Inside Tesla's Production Hell." *Wired*. Condé Nast, December 13, 2008. https://www.wired.com/story/elon-musk-tesla-life-inside-gigafactory.

[7] Isaac, Mike. *Super Pumped: The Battle for Uber*. New York: W. W. Norton & Company, 2019.

第1章

[1] "Leadership Principles." Amazon.jobs. Accessed October 3, 2019. https://www.amazon.jobs/en/principles.

[2] Stone, Madeline. "A 2004 Email from Jeff Bezos Explains Why PowerPoint Presentations Aren't Allowed at Amazon." *Business Insider*. Business Insider, July 28, 2015. https://www.businessinsider.com/jeff-bezos-email-against-powerpoint-presentations-2015-7.

[3] この文書には、「テネット」というグループごとに定めるミニ・リーダーシップ原則まで書いてあった。

[4] Rusli, Evelyn. "Amazon.com to Acquire Manufacturer of Robotics." *New York Times*. New York Times, March 19, 2012. https://dealbook.nytimes.com/2012/03/19/amazon-com-buys-kiva-systems-for-775-million/.

[5] Seetharaman, Deepa. "Amazon Has Installed 15,000 Warehouse Robots to Deal with Increased Holiday Demand." *Business Insider*. Business Insider, December 1, 2014. https://www.businessinsider.com/r-amazon-rolls-out-kiva-robots-for-holiday-season-onslaught-2014-12.

[6] Levy, Nat. "Chart: Amazon Robots on the Rise, Gaining Slowly but Steadily on Human Workforce." *GeekWire*. GeekWire, December 29, 2016. https://www.geekwire.com/2016/chart-amazon-robots-rise-gaining-slowly-steadily-human-workforce/.

[7] Del Rey, Jason. "Land of the Giants." *Vox*. Accessed October 3, 2019. https://www.vox.com/land-of-the-giants-podcast.

[8] Pollard, Chris. "Rushed Amazon Staff Pee into Bottles as They're Afraid of Time-Wasting." *Sun*. Sun, April 15, 2018. https://www.thesun.co.uk/news/6055021/rushed-amazon-warehouse-staff-time-wasting.

[9] Stone, Brad. *The Everything Store: Jeff Bezos and the Age of Amazon*. New York: Little, Brown and Company, 2013.

[10] Recode. "Amazon Employee Work-Life Balance ¦ Jeff Bezos, CEO Amazon ¦ Code Conference 2016." YouTube, June 2, 2016. https://www.youtube.com/watch?v=PTYFEgXaRbU.

[11] TheBushCenter. "Forum on Leadership: A Conversation with Jeff Bezos." YouTube, April 20, 2018. https://www.youtube.com/watch?v=xu6vFIKAUxk.

[12] Kantor, Jodi, and David Streitfeld. "Inside Amazon: Wrestling Big Ideas in a Bruising Workplace." *New York Times*. New York Times, August 15, 2015. https://www.nytimes.com/2015/08/16/technology/inside-amazon-wrestling-big-ideas-in-a-bruising-workplace.html.

[13] Carney, Jay. "What the New York Times Didn't Tell You." Medium. Medium, October 19, 2015. https://medium.com/@jaycarney/what-the-new-york-times-d idn-t-tell-you-a1128aa78931.

[14] Communications, NYTCo. "Dean Baquet Responds to Jay Carney's Medium Post." Medium. Medium, October 19, 2015. https://medium.com/@NYTimesComm/dean-baquet-responds-to-jay-carney-s-medium-post-6af794c7a7c6.

[15] Cook, John. "Full Memo: Jeff Bezos Responds to Brutal NYT Story, Says It Doesn't Represent the Amazon He Leads." *GeekWire*. GeekWire, August 16, 2015. https://www.geekwire.com/2015/full-memo-jeff-bezos-responds-to-cutting-nyt-expose-says-tolerance-for-lack-of-empathy-needs-to-be-zero/.

第2章

[1] Inskeep, Steve. "We Did Not Do Enough to Protect User Data, Facebook's Sandberg Says." NPR. NPR, April 6, 2018. https://www.npr.org/2018/04/06/600071401/we-did-not-do-enough-to-protect-user-data-facebooks-sandberg-says.

[2] Rusli, Evelyn M. "Even Facebook Must Change." *Wall Street Journal*. Dow Jones & Company, January 29, 2013. https://www.wsj.com/articles/SB10001424127887323829504578272233666653120.

[3] Goode, Lauren. "Facebook Was Late to Mobile. Now Mobile Is the Future." *Wired*. Conde Nast, February 06, 2019. https://www.wired.com/story/facebooks-future-is-mobile/.

[4] Efrati, Amir. "Facebook Struggles to Stop Decline in 'Original' Sharing." *The Information*, April 7, 2016. https://www.theinformation.com/articles/facebook-struggles-to-stop-decline-in-original-sharingshared=5dd15d.

[5] Facebook 10-Q. Accessed October 3, 2019. https://www.sec.gov/Archives/edgar/data/1326801/000132680115000032/fb-9302015x10q.htm.

[6] Kantrowitz, Alex. "Small Social Is Here: Why Groups Are Finally Finding a Home Online." *BuzzFeed News*. BuzzFeed News, November 3, 2015. https://www.buzzfeednews.com/article/alexkantrowitz/small-social-is-here-why-groups-are-finally-finding-a-home-o.

[7] Wells, Georgia, and Deepa Seetharaman. "WSJ News Exclusive ¦ Snap Detailed Facebook's Aggressive Tactics in 'Project Voldemort' Dossier." *Wall Street Journal*. Dow Jones & Company, September 24, 2019. https://www.wsj.com/articles/snap-detailed-facebooks-aggressive-tactics-in-project-voldemort-dossier-11569236404.

[8] Tsotsis, Alexia. "Facebook Scoops Up Face.com for $55-60M to Bolster Its Facial Recognition Tech (Updated)." *TechCrunch*. TechCrunch, June 18, 2012. https://techcrunch.com/2012/06/18/facebook-scoops-up-face-com-for-100m-to-bolster-its-facial-recognition-tech/.

[9] Kantrowitz, Alex. "Facebook Expands Live Video Beyond Celebrities." *BuzzFeed News*. BuzzFeed News, December 3, 2015. https://www.buzzfeednews.com/article/alexkantrowitz/facebook-brings-its-live-streaming-to-the-masses#.jegRRDmJK.

[10] Rabin, Charles. "Woman Posts Live Video of Herself After Being Shot in Opa-Locka Burger King Drive-Through." *Miami Herald*. Miami Herald, February 2, 2016. https://www.miamiherald.com/news/local/crime/article57897483.html.

[11] Kantrowitz, Alex. "Violence on Facebook Live Is Worse Than You Thought." *BuzzFeed News*. BuzzFeed News, June 16, 2017. https://www.buzzfeednews.com/article/alexkantrowitz/heres-how-bad-facebook-lives-violence-problem-is.

[12] Kantrowitz, Alex. "Facebook Is Using Artificial Intelligence to Help Prevent Suicide." *BuzzFeed News*. BuzzFeed News, March 1, 2017. https://www.buzzfeednews.com/article/alexkantrowitz/facebook-is-using-artificial-intelligence-to-prevent-suicide.

[13] Rosen, Guy. "F8 2018: Using Technology to Remove the Bad Stuff Before It's Even Reported." Facebook Newsroom, May 2, 2018. https://newsroom.fb.com/news/2018/05/removing-content-using-ai/.

[14] Newton, Casey. "The Secret Lives of Facebook Moderators in America." *Verge*. Vox, February 25, 2019. https://www.theverge.com/2019/2/25/18229714/cognizant-facebook-content-moderator-interviews-trauma-working-conditions-arizona.

[15] Stamos, Alex. "An Update on Information Operations on Facebook." Facebook Newsroom, September 6, 2017. https://newsroom.fb.com/news/2017/09/information-operations-update/.

[16] Rosenberg, Matthew, Nicholas Confessore, and Carole Cadwalladr. "How Trump Consultants Exploited the Facebook Data of Millions." *New York Times*. New York Times, March 17, 2018. https://www.nytimes.com/2018/03/17/us/politics/cambridge-analytica-trump-campaign.html.

[17] Mac, Ryan, Charlie Warzel, and Alex Kantrowitz. "Growth at Any Cost: Top Facebook Executive Defended Data Collection in 2016 Memo and Warned That Facebook Could Get People Killed." *BuzzFeed News*. BuzzFeed News, March 29, 2018. https://www.buzzfeednews.com/article/ryanmac/growth-at-any-cost-top-facebook-executive-defended-data.

[18] Stewart, Emily. "What Mark Zuckerberg Will Tell Congress About the Facebook Scandals." *Vox*. Vox, April 10, 2018. https://www.vox.com/policy-and-politics/2018/4/9/17215640/mark-zuckerberg-congress-testimony-facebook.

[19] McAllister, Edward. "Facebook's Cameroon Problem: Stop Online Hate Stoking Conflict." *Reuters*. Thomson Reuters, November 4, 2018. https://www.reuters.com/article/us-facebook-cameroon-insight/facebooks-cameroon-problem-stop-online-hate-stoking-conflict-idUSKCN1NA0GW.

[20] Rajagopalan, Megha. " 'We Had to Stop Facebook': When Anti-Muslim Violence Goes Viral." *BuzzFeed News*. BuzzFeed News, April 7, 2018. https://www.buzzfeednews.com/article/meghara/we-had-to-stop-facebook-when-anti-muslim-violence-goes-viral.

第3章

[1] Conger, Kate. "Exclusive: Here's the Full 10-Page Anti-Diversity Screed Circulating Internally at Google [Updated]." *Gizmodo*. Gizmodo, August 5, 2017. https://gizmodo.com/exclusive-heres-the-full-10-page-anti-diversity-screed-1797564320.

[2] Alyssa Milano, Twitter Post, October 15, 2017, 1:21 p.m., https://twitter.com/Alyssa_Milano/status/919659438700670976.

[3] Harmanci, Reyhan. "Inside Google's Internal Meme Generator." *BuzzFeed News*. BuzzFeed News, September 26, 2012. https://www.buzzfeednews.com/article/reyhan/inside-googles-internal-meme-generator.

[4] Nelson, Jeff. "What Did Sundar Pichai Do That His Peers Didn't, to Get Promoted Through the Ranks from an Entry Level PM to CEO of Google?" Quora, July 24,

2016. https://www.quora.com/What-did-Sundar-Pichai-do-that-his-peers-d idnt-to-get-promoted-through-the-ranks-from-an-entry-level-PM-to-CEO-of-Google/answer/Jeff-Nelson-32?ch=10&share=53473102&srid=au3.

[5] "Sundar Pichai Full Speech at IIT Kharagpur 2017 ¦ Sundar Pichai at KGP ¦ Latest Speech." YouTube, January 10, 2017. https://www.youtube.com/watch?v=-yLlMk41sro&feature=youtu.be.

[6] Mazzon, Jen. "Writely So." Official Google Blog, March 9, 2006. https://googleblog.blogspot.com/2006/03/writely-so.html.

[7] Sjogreen, Carl. "It's About Time." Official Google Blog, April 13, 2006. https://googleblog.blogspot.com /2006/04/its-about-time.html.

[8] Rochelle, Jonathan. "It's Nice to Share." Official Google Blog, June 6, 2006. https://googleblog.blogspot.com/2006/06/its-nice-to-share.html.

[9] "Sundar Pichai Launching Google Chrome." YouTube, February 19, 2017. https://www.youtube.com/watch?v=3_Ye38f BQMo.

[10] Doerr, John E. Measure *What Matters: How Google, Bono, and the Gates Foundation Rock the World with OKRs*. New York: Portfolio, 2018.

[11] Newcomb, Alyssa. "Microsoft: Drag Internet Explorer to the Trash. No, Really." *Fortune*. Fortune, February 8, 2019. https://fortune.com/2019/02/08/download-internet-explorer-11-end-of-life-microsoft-edge/?xid=gn_editorspicks.

[12] Stone, Brad, and Spencer Soper. "Amazon Unveils a Listening, Talking, Music-Playing Speaker for Your Home." *Bloomberg*. Bloomberg, November 6, 2014. https://www.bloomberg.com/news/articles/2014-11-06/amazon-echo-is-a-listening-talking-music-playing-speaker-for-your-home.

[13] Page, Larry. "G Is for Google." Official Google Blog, August 10, 2015. https://googleblog.blogspot.com/2015/08/google-alphabet.html.

[14] "US Time Spent with Media: EMarketer's Updated Estimates and Forecast for 2014-2019." eMarketer, April 27, 2017. https://www.emarketer.com/Report/US-Time-Spent-with-Media-eMarketers-Updated-Estimates-Forecast-20142019/2002021.

[15] Pierce, David. "One Man's Quest to Make Google's Gadgets Great." *Wired*. Conde Nast, February 8, 2018. https://www.wired.com/story/one-mans-quest-t o-make-googles-gadgets-great/.

[16] Tiku, Nitasha. "Three Years of Misery Inside Google, the Happiest Company in Tech." *Wired*. Conde Nast, August 13, 2019. https://www.wired .com/story/inside-google-three-years-misery-happiest-company-tech/.

[17] Shane, Scott, and Daisuke Wakabayashi. " 'The Business of War': Google Employees Protest Work fort he Pentagon." *New York Times*. New York Times, April 4, 2018. https://www.nytimes.com/2018/04/04/technology/google-letter-ceo-pentagon-project.html?login=smartlock&auth=login-smartlock.

[18] "Lethal Autonomous Weapons Pledge." Future of Life Institute. https://futureof life.

org/lethal-autonomous-weapons-pledge/.

[19] Tarnoff, Ben. "Tech Workers Versus the Pentagon." *Jacobin*. Jacobin, June 6, 2018. https://jacobinmag.com/2018/06/google-project-maven-military-tech-workers.

[20] Conger, Kate. "Google Employees Resign in Protest Against Pentagon Contract." *Gizmodo*. Gizmodo, May 14, 2018. https://gizmodo.com/google-employees-resign-in-protest-against-pentagon-con-1825729300.

[21] Shane, Scott, Cade Metz, and Daisuke Wakabayashi. "How a Pentagon Contract Became an Identity Crisis for Google." *New York Times*. New York Times, May 30, 2018. https://www.nytimes.com/2018/05/30/technology/google-project-maven-pentagon.html.

[22] Pichai, Sundar. "AI at Google: Our Principles." Google, June 7, 2018. https://www.blog.google/technology/ai/ai-principles/.

[23] Alba, Davey. "Google Backs Away from Controversial Military Drone Project." *BuzzFeed News*. BuzzFeed News, June 1, 2018. https://www.buzzfeednews.com/article/daveyalba/google-says-it-will-not-follow-through-on-pentagon-drone-ai.

[24] Wakabayashi, Daisuke, and Katie Benner. "How Google Protected Andy Rubin, the 'Father of Android'." *New York Times*. New York Times, October 25, 2018. https://www.nytimes.com/ 2018/10/25/technology/google-sexual-harassment-andy-rubin.html.

[25] Morris, Alex. "Rage Drove the Google Walkout. Can It Bring About Real Change at Tech Companies?" *New York*. New York Magazine, February 5, 2019. http://nymag.com/intelligencer/2019/02/can-the-google-walkout-bring-about-change-at-tech-companies.html.

[26] Fried, Ina. "Google CEO: Apology for Past Harassment Issues Not Enough." *Axios*. Axios, October 30, 2018. https://www.axios.com/google-ceo-apologizes-past-sexual-harassment-aec53899-6ac0-4a70-828d-70c263e56305.html.

[27] Ghaffary, Shirin, and Eric Johnson. "After 20,000 Workers Walked Out, Google Said It Got the Message. The Workers Disagree." *Vox*. Vox, November 21, 2018. https://www.vox.com/2018/11/21/18105719/google-walkout-real-change-organizers-protest-discrimination-kara-swisher-recode-decode-podcast.

[28] Wakabayashi, Daisuke. "Google Ends Forced Arbitration for All Employee Disputes." *New York Times*. New York Times, February 21, 2019. https://www.nytimes.com/2019/02/21/technology/google-forced-arbitration.html.

[29] Tiku, Nitasha. "Google Walkout Organizers Say They're Facing Retaliation." *Wired*. Condé Nast, April 22, 2019. https://www.wired.com/story/google-walkout-organizers-say-theyre-facing-retaliation/.

[30] Kowitt, Beth. "Inside Google's Civil War." *Fortune*. Fortune, May 17, 2019. https://fortune.com/longform/inside-googles-civil-war/.

第4章

[1] Brownlee, Marques. "Apple HomePod Review: The Dumbest Smart Speaker?" YouTube, February 16, 2018. https://www.youtube.com/watch?v=mpjREfvZiDs&feature=youtu.be.

[2] Gruber, John. "Angela Ahrendts to Leave Apple in April; Deirdre O'Brien Named Senior Vice President of Retail and People." Daring Fireball (blog). Accessed February 5, 2019. https://daringfireball.net/linked/2019/02/05/ahrendts-obrien.

[3] Gruber, John. "Jony Ive Is Leaving Apple." Daring Fireball (blog), June 27, 2019. https://daringfireball.net/2019/06/jony_ ive_leaves_apple.

[4] Mayo, Benjamin. "United Airlines Takes Down Poster That Revealed Apple Is Its Largest Corporate Spender." *9to5Mac*, January 14, 2019. https://9to5mac.com/2019/01/14/united-airlines-apple-biggest-customer/.

[5] Schleifer, Theodore. "An Apple Engineer Showed His Daughter the New IPhone X. Now, She Says, He's Fired." *Recode*. Vox, October 29, 2017. https://w ww.vox.com/2017/10/29/16567244/apple-engineer-fired-iphone-x-daughter-secret-product-launch.

[6] Cook, Tim. "Letter from Tim Cook to Apple Investors." Apple Newsroom, January 2, 2019. https://www.apple.com/newsroom/2019/01/letter-from-tim-cook-to-apple-investors/.

[7] Thompson, Ben. "Apple's Errors." *Stratechery by Ben Thompson*, January 7, 2019. https://stratechery.com/2019/apples-errors/?utm_source=Memberful&utm_campaign=131ddd5a64-weekly_article_2019_01_07&utm_medium=email&utm_term=0_d4c7fece27-131ddd5a64-110945413.

[8] Balakrishnan, Anita, and Deirdre Bosa. "Apple Co-Founder Steve Wozniak: iPhone X Is the First iPhone I Won't Buy on 'Day One.' " CNBC. CNBC, October 23, 2017. https://www.cnbc.com/2017/10/2 3/apple-co-founder-steve-wozniak-not-upgrading-to-iphone-x-r ight-away.html.

[9] "CNBC Exclusive: CNBC Transcript: Apple CEO Tim Cook Speaks with CNBC's Jim Cramer Today." *CNBC*. CNBC, January 8, 2019. https://www.cnbc.com/2019/01/08/exclusive-cnbc-transcript-apple-ceo-tim-cook-speaks-with-cnbcs-jim-cramer-today.html.

[10] Gross, Doug. "Apple Introduces Siri, Web Freaks Out." *CNN*. Cable News Network, October 4, 2011. https://www.cnn.com/2011/10/04/tech/mobile/siri-iphone-4s-skynet/index.html.

[11] シリプロジェクトはジョブズが始めたものである。

[12] Hall, Zac. "Apple Delaying HomePod Smart Speaker Launch until next Year." *9to5Mac*, November 17, 2017. https://9to5mac.com/2017/11/17/homepad-delay/.

[13] Kolodny, Lora, Christina Farr, and Paul A. Eisenstein. "Apple Just Dismissed More than 200 Employees from Project Titan, Its Autonomous Vehicle Group." *CNBC*. CNBC, January 24, 2019. https://www.cnbc.com/2019/01/24/apple-lays-off-over-200-from-project-titan-autonomous-vehicle-group.html.

[14] "How Is the Work Culture at the IS&T Division of Apple?" Quora. https://www.quora.com/How-is-the-work-culture-at-the-IS-T-division-of-Apple.

[15] Salinas, Sara. "Amazon Raises Minimum Wage to $15 for All US Employees." *CNBC*. CNBC, October 2, 2018. https://www.cnbc.com/2018/10/02/amazon-raises-minimum-wage-to-15-for-all-us-employees.html.

[16] 155 $28,000 per year: Gross, Terry. "For Facebook Content Moderators, Traumatizing Material Is a Job Hazard." *NPR*. NPR, July 1, 2019. https://w ww.npr.org/2019/07/01/737498507/for-facebook-content-moderators-traumatizing-material-is-a-job-hazard.

[17] Nagourney, Adam, Ian Lovett, and Richard Pérez-Peña. "San Bernardino Shooting Kills at Least 14; Two Suspects Are Dead." *New York Times*. New York Times, December 2, 2015. https://www.nytimes.com/2015/12/03/us/san-bernardino-shooting.html.

[18] Ng, Alfred. "FBI Asked Apple to Unlock iPhone Before Trying All Its Options." CNET, March 27, 2018. https://www.cnet.com/news/fbi-asked-apple-to-unlock-iphone-before-trying-all-its-options.

[19] Grossman, Lev. "Apple CEO Tim Cook: Inside His Fight with the FBI." *Time*. Time Magazine, March 17, 2016. https://time.com/4262480/tim-cook-apple-f bi-2.

[20] Cook, Tim. "Customer Letter." Apple. Accessed February 16, 2016. https://www.apple.com/customer-letter.

[21] "Best Marketing Strategy Ever! Steve Jobs Think Different / Crazy Ones Speech (with Real Subtitles)." YouTube, April 21, 2013. https://www.youtube.com/watch?v=keCwRdbwNQY.

[22] Albergotti, Reed. "Apple's 'Show Time' Event Puts the Spotlight on Subscription Services." *Washington Post*. Washington Post, March 25, 2019. https://www.washingtonpost.com/technology/2019/03/25/apple-march-event-streaming-news-subscription.

第5章

[1] Cook, John. "After the Writedown: How Microsoft Squandered Its $6.3B Buy of Ad Giant aQuantive." *GeekWire*. GeekWire, July 12, 2012. https://www.geek-wire.com/2012/writedown-microsoft-squandered-62b-purchase-ad-giant-aquantive/.

[2] Bishop, Todd. "Microsoft's 'Lost Decade'? Vanity Fair Piece Is Epic, Accurate and Not Entirely Fair." *GeekWire*. GeekWire, July 4, 2012. https://www.geekwire.com/2012/microsofts-lost-decade-vanity-fair-piece-accurate-incomplete.

[3] Eichenwald, Kurt. "How Microsoft Lost Its Mojo: Steve Ballmer and Corporate America's Most Spectacular Decline." *Vanity Fair*. Vanity Fair, July 24, 2012. https://www.vanityfair.com/news/business/2012/08/microsoft-lost-mojo-steve-ballmer.

[4] Bishop, Todd. "Microsoft Names Satya Nadella CEO; Bill Gates Stepping Down as Chairman to Serve as Tech Adviser." *GeekWire*. GeekWire, February 4, 2014.

https://www.geekwire.com/2014/microsoft-ceo-main.

[5] Fontana, John. "Microsoft Tops $60 Billion in Annual Revenue." Network World, July 17, 2008. https://www.networkworld.com/article/2274218/microsoft-tops--60-billion-in-annual-revenue.html.

[6] Romano, Benjamin. "Microsoft Server and Tools Boss Muglia Given President Title." *Seattle Times*. Seattle Times Company, January 6, 2009. https://www.seattletimes.com/business/microsoft/microsoft-server-and-tools-boss-muglia-given-president-title.

[7] D'Onfro, Jillian. "Here's a Reminder Just How Massive Amazon's Web Services Business Is." *Business Insider*. Business Insider, June 16, 2014. https://www.businessinsider.com/amazon-web-services-market-share-2014-6.

[8] Foley, Mary Jo. "Meet Microsoft's New Server and Tools Boss: Satya Nadella." *ZDNet*, February 9, 2011. https://www.zdnet.com/article/meet-microsofts-new-server-and-tools-boss-satya-nadella.

[9] Warren, Tom. "Microsoft Writes Off $7.6 Billion from Nokia Deal, Announces 7,800 Job Cuts." *Verge*. Vox, July 8, 2015. https://www.theverge.com/2015/7/8/8910999/microsoft-job-cuts-2015-nokia-write-off.

[10] "Satya Nadella Email to Employees on FirstDay as CEO." Microsoft News Center, February 4, 2014. https://news.microsoft.com/2014/02/04/satya-nadella-email-to-employees-on-first-day-as-ceo.

[11] Nadella, Satya. *Hit Refresh: The Quest to Rediscover Microsoft's Soul and Imagine a Better Future for Everyone*. New York: Harper-Collins, 2017.（サティヤ・ナデラ『Hit Refresh マイクロソフト再興とテクノロジーの未来』山田美明・江戸伸禎訳、日経BP、2017年）

[12] Choney, Suzanne. "Microsoft Garage Expands to Include Exploration, Creation of Cross-Platform Consumer Apps." Fire Hose (blog), October 22, 2014. https://web.archive.org/web/20141025020143/http://blogs.microsoft.com/firehose/2014/10/22/microsoft-garage-expands-to-include-exploration-creation-of-cross-platform-consumer-apps.

[13] Lunden, Ingrid. "Microsoft Forms New AI Research Group Led by Harry Shum." *TechCrunch*. TechCrunch, September 29, 2016. https://techcrunch.com/2016/09/29/microsoft-forms-new-ai-research-group-led-by-harry-shum.

[14] MasterBlackHat. "Steve Ballmer--Dance Monkey Boy!" YouTube, December 28, 2007. https://www.youtube.com/watch?v=edN4o8F9_ P4.

[15] Cornet, Manu. "Organizational Charts." Accessed October 7, 2019. http://bonkersworld.net/organizational-charts.

[16] Dweck, Carol S. *Mindset: The New Psychology of Success*. New York: Random House, 2007.（キャロル・S・ドゥエック『マインドセット「やればできる！」の研究』今西康訳、草思社、2016年）

[17] Bishop, Todd. "Exclusive: Satya Nadella Reveals Microsoft's New Mission Statement, Sees 'Tough Choices' Ahead." *GeekWire*. GeekWire, June 25, 2015. https://www.

geekwire.com/2015/exclusive-satya-nadella-reveals-microsofts-new-mission-statement-sees-more-tough-choices-ahead.

[18] Kim, Eugene. "Microsoft CEO Satya Nadella Just Used an iPhone to Demo Outlook." *Business Insider*. Business Insider, September 16, 2015. https://www.businessinsider.com/microsoft-ceo-satya-nadella-used-iphone-2015-9.

[19] Bass, Dina, and Ian King. "Microsoft Unveils Biggest Reorganization in Years." *Bloomberg*. Bloomberg, March 29, 2018. https://www.bloomberg.com/news/articles/2018-03-29/microsoft-unveils-biggest-reorganization-in-years-as-myerson-out.

[20] Nadella, Satya. "Satya Nadella Email to Employees: Embracing Our Future: Intelligent Cloud and Intelligent Edge." Microsoft News Center, March 29, 2018. https://news.microsoft.com/2018/03/29/satya-nadella-email-to-employees-embracing-our-future-intelligent-cloud-and-intelligent-edge.

[21] Lunden, Ingrid. "Microsoft Officially Closes Its $26.2B Acquisition of LinkedIn." *TechCrunch*. TechCrunch, December 8, 2016. https://techcrunch.com/2016/12/08/microsoft-officially-closes-its-26-2b-acquisition-of-linkedin/.

[22] Warren, Tom. "Microsoft's Bets on Surface, Gaming, and LinkedIn Are Starting to Pay Off." *Verge*. Vox, April 26, 2018. https://www.theverge.com/2018/4/26/17286900/m icrosoft-q3-2018-earnings-cloud-surface-linkedin-revenue.

[23] Gershgorn, Dave. "Amid Employee Uproar, Microsoft Is Investigating Sexual Harassment Claims Overlooked by HR." *Quartz*. Quartz, April 4, 2019. https://qz.com/1587477/microsoft-investigating-sexual-harassment-claims-overlooked-by-hr/.

[24] 2019年10月現在で時価総額1兆ドル。

終章

[1] McGregor, Douglas. T*he Human Side of Enterprise*. New York: McGraw-Hill, 1960.

[2] Ouchi, William G. *Theory Z: How American Business Can Meet the Japanese Challenge*. New York: Avon, 1993.

[3] "About ILR." ILR School, Cornell University. Accessed October 6, 2019. https://www.ilr.cornell.edu/about-ilr.

[4] ILR, Cornell. "Cornell University's ILR School: The Early Years." YouTube, November 18, 2015. https://www.youtube.com/watch?v=ED1DZQj2dBQ.

[5] Ricau, Pierre-Yves. "A Silent Meeting Is Worth a Thousand Words." Square Corner Blog. Medium, September 4, 2018. https://medium.com/square-corner-blog/a-silent-meeting-is-worth-a-thousand-words-2c7213b12f b6.

[6] Grant, Adam. "What Straight-A Students Get Wrong." *New York Times*. New York Times, December 8, 2018. https://www.nytimes.com/2 018/12/08/opinion/college-gpa-career-success.html?module=inline.

[7] Hensley-Clancy, Molly. "What Happened to the $100 Million Mark Zuckerberg Gave to Newark Schools?" *BuzzFeed News*. BuzzFeed News, October 8, 2015. https://

www.buzzfeednews.com/article/mollyhensleyclancy/what-happened-to-zuckerbergs-100-million.

[8] Flaccus, Gillian, and Geoff Mulvihill. "Amid Booming Economy, Homelessness Soars on US West Coast." *Associated Press*. AP News, November 9, 2017. https://apnews.com/d480434bbacd4b028ff13cd1e7cea155.

[9] Feiner, Lauren. "Amazon Donates $8 Million to Fight Homelessness in HQ Cities Seattle and Arlington." *CNBC*. CNBC, June 11, 2019. https://www.cnbc.com/2019/06/11/amazon-donates-8-million-to-fight-homelessness-in-seattle-arlington.html.

[10] Giridharadas, Anand. *Winners Take All*. New York: Random House, 2019.

[11] Feiner, Lauren. "Amazon Will Get Up to $2.2 Billion in Incentives for Bringing New Offices and Jobs to New York City, Northern Virginia and Nashville." *CNBC*. CNBC, November 13, 2018. https://www.cnbc.com/2018/11/13/amazon-tax-incentives-in-new-york-city-virginia-and-nashville.html.

[12] Semuels, Alana. "How Amazon Helped Kill a Seattle Tax on Business." *Atlantic*. Atlantic Media Company, June 13, 2018. https://www.theatlantic.com/technology/archive/2018/06/how-amazon-helped-kill-a-seattle-tax-on-business/562736.

[13] Honan, Mat, and Alex Kantrowitz. "Mark Zuckerberg Has Baby and Says He Will Give Away 99% of His Facebook Shares." *BuzzFeed News*. BuzzFeed News, December 1, 2015. https://www.buzzfeednews.com/article/mathonan/mark-zuckerberg-has-baby-and-says-he-w ill-give-away-99-of-hi.

[14] Dastin, Jeffrey. "Amazon Scraps Secret AI Recruiting Tool That Showed Bias Against Women." *Reuters*. Thomson Reuters, October 9, 2018. https://www.reuters.com/article/us-amazon-com-jobs-automation-insight/amazon-scraps-secret-ai-recruiting-tool-that-showed-bias-against-women-idUSKCN1MK08G.

[15] Ratcliffe, Susan. *Oxford Essential Quotations*. Oxford, UK: Oxford University Press, 2016.

[16] "NITAAC Solutions Showcase: Technatomy and UI Path." YouTube, March 29, 2019. https://youtu.be/IakpZK9q6ys.